KÖNIGS FURT

Von derselben Autorin

Von Pia Schneider sind folgende Titel erschienen:

Engel-Orakel – Liebe, Glück, Erfolg
ISBN 978-3-89875-833-8 (Buch allein),
ISBN 978-3-89875-832-1 (Buch & Karten im Set).

Liebes-Orakel – Liebe, Glück, Erfolg
ISBN 978-3-89875-776-8 (Buch & Karten im Set).

Kipper-Orakelkarten – Liebe, Glück, Erfolg
ISBN 978-3-89875-864-2 (Buch allein),
ISBN 978-3-89875-855-4 (Buch & Karten im Set).

Pia Schneider / Richard Witthüser:
Ein Engel für dich – Liebe, Glück, Erfolg
ISBN 978-3-89875-865-9 (Buch allein),
ISBN 978-3-89875-858-1 (Buch & Karten im Set).

Pia Schneider

Engelhelfer
Orakel

Liebe · Glück · Erfolg

Königsfurt

Realisation des Buchs: Pia Schneider,
nach Texten von Evelin Bürger & Johannes Fiebig
Co-writing: Ines Lühr

Bibliographische Informationen der Deutschen Bibliothek:
Die Deutsche Bibliothek verzeichnet diese Publikation in der
Deutschen Nationalbibliographie; detaillierte bibliographische
Daten sind im Internet über http://dnb.ddb.de abrufbar.

Originalausgabe
Krummwisch b. Kiel 2007
Copyright © 2007 by Königsfurt Verlag
D-24796 Krummwisch
www.koenigsfurt-urania.com

Abbildungen Umschlag und Inhalt:
Karten »Die Sybille der Engel (Engel-Orakel)« von Rossano Stefano,
© Lo Scarabeo, I-Turin, c/o Königsfurt Verlag, mit freundlicher Genehmigung

Umschlag, Satz, Lithos: Stefan Hose, D-24357 Götheby-Holm
Printed in EU

ISBN 978-3-89875-881-9 (Buch separat)
ISBN 978-3-89875-637-2 (Karten separat)
ISBN 978-3-89875-880-2 (Buch & Karten im Set)

Inhalt

Ein neuer Himmel

Neue Engel-Begeisterung

Sie sind einfach überall. *Engel* – kaum ein anderes Motiv ist in der aktuellen Medienwelt weiter verbreitet. Wir hören »Send me an angel« *(Schick mir 'nen Engel)* und »Must be an angel« *(... mußt ein Engel sein),* und wir sehen Engel im »Himmel über Berlin« und die »Drei Engel für Charlie«. Selbst noch die Bezeichnung »No Angels« *(Keine Engel)* spielt mit der riesigen Popularität, die die Flügelwesen heute genießen.

Ein kräftig geschminkter, sehr weiblich aussehender Engel bietet verführerisch Zigaretten einer bekannten Marke an; auf Quittungsvordrucken der Deutschen Post wacht zwischen bauschigen Himmelswölkchen ein muskulöser, männlicher Engel. Für einen fettreduzierten Frischkäse werben gleich ein halbes Dutzend attraktiver Engel-Frauen auf himmlischen Wolkenteppichen. In gelber Kluft erscheinen sie als Pannenhelfer auf der Autobahn, in Blau strahlen sie uns von hoffentlich besseren Putzmitteln entgegen.

Die Vermarktung boomt, laufend kommen neue Produkte mit Engeln auf den Markt. Doch es nicht nur Kommerz, der sich hier überschlägt. Hinter der neuen Engel-Begeisterung stecken auch grundlegende menschliche Glaubensfragen, die heute aktueller sind als je.

Schon immer traten Engel in sehr verschiedenen Ausprägungen auf: sie waren ermunternde, aber auch warnende Geschöpfe, verkündende, schützende, mahnende, stärkende, seelenbegleitende, aber auch verführende Diener Gottes.

Grundlegende Glaubensfragen

Ihr Erscheinen ist meist plötzlich und unverhofft. Es kann zu jeder Tages- und Nachtzeit geschehen. Die Art ihres Auftretens, die Zahl der beteiligten Engel und ihre konkrete Gestalt kann sehr unterschiedlich ausfallen, sie mögen Flügel haben oder auch keine – gemeinsam ist allen Engelvarianten lediglich, dass sie nicht immer, aber doch meistens als Lichtgestalten von starker Helligkeit und unwirklichem Glanz auftreten.

Die Vorstellung von Boten, von Brücken zwischen Himmel und Erde, von himmlischen Wesen in menschenähnlicher Gestalt, die zwischen oben und unten vermitteln, gehört zu den Urbildern mythischen Denkens. Die Hauptaussage der Engel im Neuen Testament lautet immer und immer wieder:

»Fürchtet euch nicht!«

Ein kleiner Blick auf die Geschichte: Bei den alten Griechen war es vor allem der Götterbote Hermes, der die himmlischen Nachrichten vom Olymp auf die Erde brachte.

Die Römer glaubten, dass jeder Mensch einen Schutzgeist hat, der ihn durch sein Leben führt. Dieses antike Vorläufer des Schutzengels wurde im alten Rom Genius genannt. (Doch Experten streiten darum, ob dieser tatsächlich mit unserem heutigen Engel zu vergleichen ist.)

Eine lange Geschichte

Doch es gab noch viele andere Gottheiten – engelartige Wesen, die den Menschen in schwierigen Situationen beistanden. So geht der heute noch bekannte Brauch, sich zur Wintersonnenwende mit einem Kerzenkranz zu schmücken (Lucia), auf die altrömische Gottheit Lucina zurück, ein Lichtwesen, das von Frauen, die in den Geburtswehen lagen herbei gerufen wurde. Lucina bedeutet, »die ans Licht befördernde«.

Die Himmelsboten werden bereits in der Kunst des alten Orients, bei den Griechen und Römern mit Flügeln dargestellt. Oft sind sie Mischwesen aus Mensch und Tier. Im alten Sumer, Babylon und Assyrien finden sich auch die Kerube, gewaltige, feierlich-ernste Schutzgeister. Sie sind Wächter des himmlischen und erdischen Heiligtums, Mittler zwischen den Welten und Fürbitter der Menschen vor den großen Göttern. Sie sind als mächtige geflügelte Menschengestalten dargestellt, manchmal auch als geflügelte Mischwesen aus Mensch und Tier. Oft werden sie als die ältesten Engeldarstellungen und als Vorbilder der jüdischen und christlichen Seraphim bezeichnet.

Eine spezielle Variante dieser himmlischen Helfer aus ältesten Zeiten ist der Psychopompos (griech.: Seelenführer). Dieser war zugleich Vorläufer des Schutzengels und des Todesengels. Er begleitete die Seelen auf ihrer Reise durch die Nacht des Todes zur Wiedergeburt am Tage. Ein berühmter Vertreter dieser Seelenführer war der ägyptische Anubis, der mitunter auch Hermanubis (eine Mischform aus Hermes und Anubis) genannt wurde.

Jeder der vier Evangelisten des Neuen Testaments spricht von Engeln oder berichtet, dass Jesus von und mit Engeln gesprochen hat. Einige Beispiele: Johannes (20,12ff) berichtet, dass zwei Engel in weißen Gewändern im Grab Jesu saßen. Johannes, Matthäus und Markus schildern, wie Jesus in seinen Reden über die Endzeit vor der Wiederkehr des Paradieses und in Gleichnissen die Engel erwähnt (Matthäus 16,27; 24,31; 24,36; Markus 20,12ff; Johannes 1,51; Markus 12,25; Matthäus

18,10). Lukas beschreibt, wie der Erzengel Gabriel die Geburt von Johannes dem Täufer und Jesus verkündet und wie Jesus von den Engeln Gottes spricht (1,11 bis 38; 11,8 bis 9; 15,10; 16,22).

Der erste Engel-Boom

Die wohl wichtigste Schrift des Christentums über Engel erschien etwa im Jahr 500 n.Chr. und soll von Dionysos Areopagita verfasst worden sein. Das war eine Art früher Esoterik, eine Geheimlehre, in deren Mittelpunkt die himmlischen Heerscharen mit ihren Hierarchien und Engelwesendheiten standen. Der Ursprung der Lehre soll auf Dionysos Areopagita zurückgehen, einen Schüler des Apostel Paulus. Auch wenn dessen historische Existenz umstritten ist, so haben die nach ihm benannten Schriften zu vielen Zeiten große christliche Heilige wie Bernhard von Clairvaux, Hildegard von Bingen, Bonaventura oder Thomas von Aquin inspiriert und im wahrsten Sinne des Wortes beflügelt.

Wir sind Engel
Mit nur einem Flügel –
um fliegen zu können,
müssen wir uns umarmen.
(Luciano de Crescenzo)

Verbreitung der Schutzengel

»Im Zuge der Gegenreformation (16./17. Jahrhundert) drangen die Schutzengel immer tiefer in die irdischen Gefühle ein. Die Engelverehrung nahm in den katholischen Kirchen, besonders in der Barockzeit, oft riesige Ausmaße an«, stellt Ruth Kendell in ihrer Schrift »Engel« (Bindlach 2004) fest:

Im 19. Jahrhundert entfernten sich die Engel in Europa immer mehr von ihrer kirchlich-sakralen Herkunft. Umso mehr wurden sie als weltliches Motiv beliebt und in esoterisch-theosophischen Kreisen entdeckt. Die Engel waren nun, ab 1850, passender Ausdruck für innere Vorgänge und galten bald als Sinnbilder für die Mächte dieser Welt.

Das 19. Jahrhundert bildet eine regelrechte Manie in Sachen Schutzengel heraus, die fast alle Bevölkerungskreise erfasste. Engel fanden auf Tellern, Bildern und Wandtafeln einen geradezu inflationären Eingang in den häuslich-familiären Bereich, und sie bevölkerten als Grabplastiken nunmehr die Friedhöfe.

In der ersten Hälfte des 20. Jahrhunderts, bis in die 1970er und 1980er Jahre, galten Engel oftmals als Kitsch und wurden in der Kunst wie im Alltagsleben eher diskreditiert. Doch seit etwa 20 Jahren gibt es eine regelrechte Engel-Renaissance. In den 1990er Jahren wurden die geflügelten Wesen geradezu zu Kultfiguren.«

Himmel auf Erden

Interessanterweise erleben wir das heutige riesige Interesse an Engeln zu einer Zeit, da sich in der westlichen Welt die etablierten Kirchen auf dem Rückzug befinden. Experten haben diesen Vorgang unterschiedlich gedeutet. Für einige wie für Peter L. Berger drückt sich in diesem Trend eine neuartige, selbständige Beschäftigung der Menschen mit Gott und mit religiösen Fragen aus. Das würde bedeuten, dass die Menschen hierzulande vermehrt eigene Kompetenzen erwerben, was Gott und Religion angeht; nicht so sehr innerhalb der Kirchen, eher im Zuge einer eigenen selbständigen Spiritualität.

Andere wie Michael Murphy plädieren für die Stärkung der menschlichen Autonomie. Die vielen Engel erscheinen diesen Stimmen eher als eine Ausflucht. »Alles Gute, was zu uns gehört und das wir noch nicht zu sein trauen, nennen wir Engel. Es wäre vielleicht besser, an die menschlichen Möglichkeiten zu glauben als an Engel, denn so kämen wir eher in die Lage, unser Potential auszuschöpfen« (David Meyers). In dieser Sicht liegt ein großer Teil der menschlichen Fähigkeiten noch brach. Würden wir sie nutzen, so sähe die Welt anders aus. Das wäre dann vielleicht der Himmel auf Erden.

Imagine there's no heaven,
It's easy if you try,
No hell below us,
Above us only sky,
Imagine all the people
living for today ...
(John Lennon)

Welcher Himmel?

Diese Zeilen von John Lennon aus seinem bekannten Titel »Imagine« drücken eine andere Perspektive aus: »Stell dir vor, es gibt keinen Himmel / das ist einfach, wenn du's mal probierst / keine Hölle unter uns / über uns nur Wolken / stell dir vor, wie all die Leute / für Heute leben ...«.

Das ist eine überraschende und eine radikale Position: Wir müssen Himmel und Hölle abschaffen, um ganz im Hier und Jetzt zu leben.

So ketzerisch das für manche klingen mag, so sehr kann sich diese Position jedoch auch auf Alltagserfahrungen stützen, die wir alle kennen. »Des Menschen Wille ist sein Himmelreich«, sagt ein deutsches Sprichwort.

Der Himmel ist eben nicht nur das Reich Gottes, Quelle der reinen Inspiration und des vertrauenswürdigen Ratschlags.

Der Himmel ist auch *ein Spiegel* des menschlichen Willen mit seinen Wünschen, Ängsten, Idealen und Illusionen. Diese Art von Himmel abzuschaffen, wäre vielleicht gar nicht so übel. Denn das bedeutete, soweit zu kommen, dass man hier in diesem Leben wunschlos glücklich lebt.

Engel als Helfer zur Selbsthilfe

Wunschlos glücklich zu leben ist das große Ziel vieler Religionen und Weltanschauungen. Doch wie erreichen wir dieses Ziel? Offensichtlich kann man Himmel und Hölle nicht einfach per Beschluss oder Gesetz verbieten.

Manche raten zu radikalem Verzicht. Wer nichts begehre, habe auch keine Wünsche. Doch diese Logik kann nicht fruchten. Denn sie bedeutet in etwa: Wer ohne Kopf lebt, kann keine Kopfschmerzen bekommen. Und wer nicht geboren wird, muß auch nicht sterben.

Nein, diese Art von Verzicht ist ein Irrtum. Der Weg zum wunschlos glücklichen Leben geht – nur scheinbar paradox – über die Erfüllung von Wünschen und die Beseitigung von Ängsten.

»Der beste bekannte Weg ist *der Weg der Wünsche*. Wir tragen bestimmte Wünsche in uns, die zu wesentlich sind, als dass sie einfach untergehen dürften. Und wohl jeder besitzt gewisse Ängste, die zu belastend sind, als dass er sie ewig mit sich schleppen sollte« (Johannes Fiebig). Wir können und müssen unsere Wünsche, Ängste, Ideale und Ansprüche immer wieder durchspielen – ausprobieren und sortieren. »Erinnern, wiederholen und durcharbeiten« nannte auch Sigmund Freud diesen Weg der Problemlösung, diese seelische Arbeit, die dazu führt, dass uns unsere Hoffnungen und Befürchtungen bewusst werden.

Dann müssen wir das Ergebnis dieser Bearbeitung nur noch in die Tat umsetzen:

- sinnvolle Wünsche verstehen und erfüllen
- sinnlose Wünsche erkennen und abgewöhnen
- berechtigte Ängste ernstnehmen und Vorsorge treffen
- unberechtigte Ängste loslassen.

Dieser »Weg der Wünsche« ist nicht immer leicht. Doch es gibt kaum einen besseren (gibt es überhaupt einen anderen?), wenn es um die seelische Reise und die selbständige Wahl der Lebenswege geht.

Solange wir auf diesem Weg noch unsere Mühe haben, können uns die Engel, wie sie hier im Buche stehen, *helfen*. Besonders bei Schwierigkeiten, in den schlimmen Zeiten, die wir alle einmal erleben, verkörpern Engel den Lichtblick, den wir dann sehr nötig haben: die Erinnerung von höherer Warte aus daran, dass das Leben größer, reicher, vielfältiger und trotz allem liebevoller ist, als uns in unseren dunklen Stunden scheinen mag.

Diese Hilfe der Engel anzunehmen, tut gut.

Die Engelhelfer
und ihre Botschaft

I. Der Engel des Ursprungs

Hilfe bei Sorgen und Anstrengungen

»In Kontakt mit den eigenen Wurzeln«

Was waren Ihre ursprünglichen Ziele? Was haben Sie davon erreicht, was hat sich bewährt, was nicht – und vor allem, was fehlt Ihnen, wonach sehnen Sie sich jetzt am meisten?

Nicht Leichtsinn ist es, was dieser Engel Ihnen vorschlägt, sondern die Rückkehr zum Wesentlichen. Oder besser gesagt: *nicht Rückkehr* – denn wie sollte das funktionieren –, sondern jetzt *ganz da sein*, so weitermachen, dass man in Kontakt mit den eigenen Wurzeln ist. Auf dem jeweiligen Gipfel der Erfahrung anwesend sein, den Augenblick spüren, seinen Einfällen vertrauen, spontan handeln, ausprobieren, improvisieren, genießen, staunen, mit Freude bleiben und mit Freude weitergehen ... das zählt.

Dieser Engel unterstützt Sie dabei, zu 100 Prozent original, das heißt so zu sein, wie Sie sind.

Engelrat

Sie sind frei für Experimente – frei, Antworten nicht zu kennen oder Ihre Meinung zu ändern – frei, zu lernen und weiter zu wachsen.

Zur Meditation

Ich werde zur richtigen Zeit an der richtigen Stelle sein. Alles andere ist unwichtig.

Der Engel des Ursprungs

♥ Liebe

Bleiben Sie gerade in der Liebe Ihren Wurzeln treu. Respektieren Sie die Selbständigkeit Ihres Partners. Bei Sorgen und Anstrengungen zählt die Rückkehr zum Wesentlichen – zu einer neuen Offenheit für die Chancen, die vor Ihnen liegen.

♣ Glück

Wer nur wiederholt, was er schon kann, wird immer so bleiben, wie er ist. Wer in seinen Werten und Zielen fest verankert ist, dem fällt es leichter, auch einmal über den eigenen Schatten zu springen.

⚐ Erfolg

Ihr Erfolg hängt jetzt weniger von Willens- oder Kraftanstrengungen ab. Die Botschaft dieses Engels besteht in der Vergewisserung und Klärung der Ziele und Absichten. Was wollen Sie wirklich?

II. Der Engel des Wissens

Hilfe bei Entscheidungen und geistiger Arbeit
»Das Ziel ist das Einfache«

Dieser Engel unterstützt Ihre geistigen Kräfte. Er wirkt auf mentale, wissens- und gewissensmäßige Energien, die von Ihnen ausgehen und mit denen andere versuchen, auf Sie einzuwirken. Sorgen Sie für Festigkeit und Gründlichkeit in Ihrem Bewusstsein. Machen Sie sich klar, was Sie wissen, und geben Sie zu, was Sie nicht wissen.

Die Alltagserfahrung lehrt uns: Was benutzt wird, nutzt sich ab. Beim menschlichen Geist verhält es sich jedoch gerade umgekehrt: Er stärkt und vermehrt sich an seinem Gebrauch. Nutzen Sie Ihr geistiges Potential, aktivieren Sie brachliegende geistige Möglichkeiten. Lassen Sie Ihren Geist in alle Richtungen arbeiten. Nehmen Sie sich Zeit, um in allen Aspekten eine befriedigende Lösung zu erreichen. In Ihren aktuellen Fragen schlummern große Gedanken!

Engelrat

Bewundern Sie die Schönheit des Kosmos und erinnern Sie sich daran, demütig zu sein. Sammeln Sie alles Wissen, doch behalten Sie den Überblick, den Kontakt zum Einfachen.

Zur Meditation

Ich weiß, was ich tue, und danke Gott.

Der Engel des Wissens

♥ Liebe

Alles ist schwer, bevor es leicht wird. Also machen Sie sich keine unnötigen Sorgen, sondern vertrauen Sie der Kraft des Lernens. Halten Sie sich an das, was das Leben wirklich leichter macht.

♣ Glück

Wir alle haben die Erfahrung, dass wir heute Aufgaben mühelos bewältigen, die uns etwa im zweiten Schuljahr noch Schweiß oder Tränen abverlangten. So ist es aber auch mit Fragen der persönlichen Zufriedenheit, dem Glück in der Liebe sowie vielen anderen Lebensthemen.

✦ Erfolg

Erst ist es schwer, und wenn man nichts probiert und ändert, bleibt es auch schwer. *Leicht wird es durch Lösungen.* Wer eine Lösung finden will, muss zuerst sich selbst lösen und bewegen!

III. Der Engel der Zeichen und der Verkündigung

Hilfe bei Wandel und Veränderung

»Ich nehme was kommt guten Mutes an«

Dieser Engel unterstützt Sie mit der Gabe des Geschehenlassens, des sich Einlassens und des Vertrauens. »Wachsein für die Erfordernisse des Augenblicks heißt, Dein Leben immer und immer wieder anzunehmen. Es ist wie eine Liebeserklärung an Dich, an Gott und die Welt«(Evelin Bürger und Johannes Fiebig).

Eine der bekannten Weisheiten und Lebensregeln, die im Zen-Buddhismus den Schülern und Suchenden mit auf den Weg gegeben werden, lautet: »Triffst du Buddha unterwegs, töte Buddha«. Dieses Motto ist mit dem biblischen Gebot zu vergleichen, man solle sich von Gott kein bestimmtes Bild machen. Nur wer sich wundern kann, hört die Stimme der Verkündigung.

Dieser Engel hilft Ihnen, die Offenheit zu bewahren und jene Unmittelbarkeit zu erleben, die darin besteht, dass eine entwickelte Persönlichkeit über jedes Vorbild hinausgeht.

Engelrat

Begrüßen und genießen Sie, was »Gott« mit Ihnen und durch Sie noch vorhat.

Zur Meditation

Ich nehme das, was (zu mir, aus mir, von mir und so weiter) kommt, guten Mutes an.

Der Engel der Zeichen und der Verkündigung

♥ Liebe

Veränderungen sind unvermeidlich und beinhalten nicht nur Gefahren, sondern auch Chancen! Urteilen Sie nicht zu schnell, deuten Sie die aktuellen Zeichen der Zeit sehr behutsam.

♣ Glück

Wunschdenken hilft nicht weiter, aber Angstdenken eben auch nicht. Ihr Glück ist es, mitten im Leben zu stehen. Schärfen Sie Ihre Aufmerksamkeit. Sie sind aufgerufen, Ihre Wahl zu treffen.

✈ Erfolg

Ihr Erfolg hängt in Ihrer aktuellen Situation stark von Ihrer Unvoreingenommenheit ab: Nur wer sich wundern kann, nimmt auch die Veränderungen wahr, die Ihre Chancen und Ihre Aufgaben in ein neues Licht tauchen.

IV. Der Engel des Zuhauseseins

Hilfe für Zufriedenheit und Entspannung

»Ich lebe mit mir und den anderen im Einklang«

Dieser Engel unterstützt die Erfahrung von Heimat und Ankunft: Wo Sie Heimat haben, können Sie sich fallenlassen, das heißt sich so geben und ganz so sein, wie Sie sind. Wo Sie sich in diesem Sinne fallenlassen, da schaffen Sie Heimat.

Überall dort finden Sie Ihr Zuhause, wo Sie »hundert Blumen« blühen lassen und wo Sie vielfältige Neigungen und Ziele miteinander verbinden können. Heimat, das ist nicht nur ein Ort, das sind nicht nur Menschen - das ist auch ein Energiezustand!

Für viele ist das Heim eher ein Nest oder ein Bollwerk gegen »die böse Welt da draußen«. Andere fühlen sich nur lebendig, wenn sie unterwegs sind, und betrachten Haus und Heim eher als notwendiges Übel oder als Ort des Rückzugs, um sich von den Kämpfen zu erholen.

Engelrat

Geben Sie sich mit solchen Halbheiten nicht zufrieden. Gönnen Sie sich und Ihren Lieben dieses Zuhause, worin und von wo aus jeder in einer glücklichen Weise alles tun und alles lassen, sich völlig verausgaben und richtig ausruhen kann.

Zur Meditation

Gott ist unsere Heimat.

Der Engel des Zuhauseseins

♥ Liebe

Der Mensch ist da zuhause, wo er gut leben und lieben kann. Also bauen Sie keinen Zaun um Ihr Heim. Bauen Sie auf die Kraft der Liebe und auf Ihre Gabe, die Liebe immer wieder zu beleben!

♣ Glück

Heimat ist nicht nur ein Ort, sondern auch ein Energiezustand: Da, wo wir von ganzem Herzen dasein und uns optimal entfalten können, erfahren wir Heimat und Zugehörigkeit.

⚹ Erfolg

Jetzt heißt es, ganz präsent zu sein: Dasein – selbst sein – nicht nur dabei sein. Wenn Sie mit Liebe bei der Sache sind, faszinieren Sie Ihre Partner im privaten wie im beruflichen Raum. Würdige, wichtige Ziele schaffen bessere Verbindungen als alte Gewohnheiten!

V. Der Engel der inneren Kraft und des Glaubens

Hilfe bei Zweifel und Unsicherheit

»Der richtige Glaube versetzt Berge und stärkt die Seelen«

Ein wertvoller Teil Ihres Lebens sind Träume und Visionen, die sich nicht unmittelbar begreifen lassen. Lassen Sie Ihre Kraft daran weiter wachsen. Sie werden lernen, sich auch bei Unklarheiten zu orientieren.

Dieser Engel unterstützt Sie bei Lebenszielen, deren Verwirklichung lange Zeiträume erfordern.

Der Glaube kann und soll eben kein Ersatz für Wissen und Bewusstsein sein. »Es ist sinnlos, von den Göttern zu fordern, was man selbst tun kann«, befanden schon die Philosophen der Antike. Ein »vernünftiger Glaube« beginnt ab dann, wenn alle prüfbaren Erfahrungen ihre Grenze erreicht haben.

Ein »vernünftiger Glaube« entwickelt sich aus Beten, Wünschen, Untersuchung der Lage, Kritik und Selbstkritik, Verantwortung, Lust, Liebe, Hingabe und gipfelt in einem bewussten *Lebensentwurf* und dessen Umsetzung.

Ein solcher Glaube stärkt Ihnen den Rücken, führt Sie auf neue Höhen, gerade wenn Sie Ihren Neigungen, dem inneren Drang folgen.

Engelrat

Trau, schau, wem.

Zur Meditation

Ich vertraue auf Gottes Hilfe – und tue, was jetzt nötig ist.

Der Engel der inneren Kraft und des Glaubens

♥ Liebe

Hier hilft es, in sich hineinzuhorchen und gutem Rat zu vertrauen. Wer Liebe gibt, wird auch Liebe empfangen. Und wer anklopft, dem wird aufgetan.

♣ Glück

Machen Sie Ihren Frieden mit »Gott«! Nichts ist unmöglich. Der Engel zeigt uns den Weg, nach vorne zu schauen. Er gibt uns Mut und die Kraft, aus der Unsicherheit und dem Zweifel gestärkt hervorzutreten.

⭐ Erfolg

Zweifel und Unsicherheiten lassen sich bewältigen. Sie werden erkennen, dass Sie einen Weg einschlagen können, um Ihre Träume und Visionen umzusetzen. In Ihnen schlummern große Ruhe und Klarheit. Gehen Sie den Dingen auf den Grund!

VI. Der Engel der Liebe

Hilfe bei Liebes- und Gewissensfragen

»Liebe ist die Antwort«

Liebe, die vorwiegend nach Übereinstimmung und Gleichartigkeit sucht, wird immer wieder zu Enttäuschungen führen, weil zunächst unbekannte Schattenseiten schließlich als trennende Unterschiede erlebt werden. Dieser Engel unterstützt Sie darin, die unvermeidlichen Eigenarten aufzuklären und der Liebe jedes Mal eine neue Chance zu geben!

Man soll sich eben nicht nur einmal (oder nur ein paar Mal) »trauen«. Vielmehr ermuntert uns dieser Engel, *permanent* sich und anderen zu vertrauen; sich selbst und den Mitmenschen etwas zuzutrauen; sich mit vielen zu verbünden und mit einigen zu verbinden; mit allen und allem, was das Herz bewegt, einen Bund fürs Leben zu schließen!

Engelrat

Für viele gilt die Hochzeit als »der schönste Tag im Leben«. Eine »Hoch-Zeit«, die Blüte des Lebens auf dem Gipfel der Erfahrung können Sie jedoch an *jedem* Tag erleben. Eine tägliche Hoch-Zeit, jede Stunde eine neue Blüte. Machen Sie sich heute dazu bereit!

Zur Meditation

Gott schützt uns, wenn wir lieben.

Der Engel der Liebe

♥ Liebe

Die Liebe trägt uns Tag für Tag. Vergessen Sie nie, dass die Würde des Menschen unantastbar ist, und lassen Sie es zu, dass unterschiedliche Einstellungen Ihr Leben bereichern. Manchmal ziehen sich Gegensätze sogar an.

♣ Glück

Das Glück in der Liebe sollten Sie mit eigenen Augen suchen. »Der verlorenste aller Tage ist der Tag, an dem man nicht gelacht hat« (Nicolas Chamfort). So kann man auch gemeinsames Glück erleben.

↗ Erfolg

Lassen Sie unterschiedliche Charaktere gelten. Überdenken Sie diese und suchen Sie das Gespräch. Seien Sie großzügig, wägen Sie es aber vorher ab und lassen sie ruhig einmal einen sachlichen Streit zu.

VII. Der Engel des Triumphs

Hilfe bei Geburt und Neuanfang
»Jedem Anfang wohnt ein Zauber inne«

Jede Beziehung braucht ein Kind – jedenfalls ein Kind im übertragenen Sinne. Selbst eine Beziehung zwischen Nachbarn, Kollegen oder Geschäftspartnern muss, wenn sie lebendig sein und etwas bedeuten soll, fruchtbar sein und etwas Neues produzieren«(Johannes Fiebig). Dieser Engel unterstützt Sie bei einem Neuanfang und speziell darin, dass Sie mit anderen gemeinsam erfolgreich starten.

Nebenbei bietet sich somit die Chance, dass das »innere Kind«in Ihnen auch zu seinem Recht kommt. Einer der wichtigsten, aber unbekanntesten Gründe, erwachsen zu werden, besteht darin, Wünsche der Kindheit und Jugend wahrzumachen und Ängste aus frühen Jahren abzubauen sowie sie endgültig loszuwerden.

Engelrat

Gleichgültig, wie alt Sie sind oder sich fühlen, hüten Sie sich vor blindem Eifer und vor Trieben, die Sie in die Irre führen. Trauen Sie dem Glück der Stunde und begeistern Sie sich für einen Einsatz, der für viele etwas produktiv Neues bringt.

Zur Meditation

Ich werde etwas Sinnvolles schaffen, das den Menschen und Gott Freude macht.

Der Engel des Triumphs

♥ Liebe

Liebevolle Gefühle und Leidenschaften erhalten uns jung und frisch! Ein neues, wunderbares Leben entsteht mit jedem Moment des wachen Bewusstseins. Jeder Atemzug bietet Neuanfang und Vollendung.

♣ Glück

Kinder wie auch ein Neuanfang bereichern Ihr Glück. Der Engel ist bei Ihnen, begleitet und beschützt Sie auf Ihren Wegen, macht Ihnen Mut und rät den Moment des Glücks zu erkennen, ihn festzuhalten und sich wohlzufühlen.

↗ Erfolg

Bemühen Sie sich, unternehmen Sie etwas. »Wer wagt, gewinnt«. Lassen Sie Neues auf sich zukommen und begegnen Sie Neuem mit Interesse, Neugierde und Wissbegierde wie auch mit Humor.

VIII. Der Engel der Gerechtigkeit

Hilfe bei Entscheidung und Auswahl

»Je genauer die Ermittlung, umso liebevoller das Urteil«

Gerechtigkeit«ist hier kein abstraktes Prinzip, sondern die praktische Frage danach, wie wir verschiedenen Bedürfnissen Genugtuung und Befriedigung verschaffen. Dieser Engel unterstützt Sie darin, sich die wahren Bedürfnisse aller Beteiligten klarzumachen.

Die Waagschalen gleichen einem Seismographen, einem Messinstrument, das feine Bewegungen und Spannungen anzeigt. Das Schwert eignet sich als Lot, als Antenne und Peilstab.

In Ihren aktuellen Fragen kommt es besonders darauf an, auf der richtigen Frequenz zu funken und zu empfangen. Es hängt nicht nur viel von Ihrer Feinfühligkeit und Ihrem diplomatischen Geschick ab. Richten Sie in Ihren aktuellen Auseinandersetzungen vor allem den Blick aufs Wesentliche: Wo ist der Schnittpunkt der beteiligten Interessen? Was wollen Sie erreichen?

Engelrat

Nutzen Sie Schwert und Waage, um zu ermitteln, was in Ihnen und in anderen vorgeht, was es bedeutet und was Sie damit anfangen können.

Zur Meditation

Ich will meine Nächsten lieben und mich selbst.

Der Engel der Gerechtigkeit

♥ Liebe

Betrachten Sie Ihre Mitmenschen mit dem Herzen, schauen Sie genau hin, denn nur wer liebt und Herzensbildung besitzt, kann selbst Liebe empfangen. Ohne Liebe keine Gerechtigkeit und ebenso umgekehrt: ohne Gerechtigkeit keine Liebe.

♣ Glück

»Gerechtigkeit« schafft Zufriedenheit und Befriedigung. Das Glück ist auf Ihrer Seite, wenn Sie sich an würdigen Werten orientieren.

⚐ Erfolg

Gehen Sie mit gutem Beispiel voran! Zeigen Sie eigene Stärke und wägen Sie ab bei unterschiedlichen Betrachtungsweisen. Was muss unternommen werden, um welches Ziel zu erreichen? Eine gerechte Lösung zu finden, sollte immer im Interesse aller Parteien sein.

IX. Der Engel der Heilung

Hilfe bei Problemlösung
»Alles geschieht zur richtigen Zeit«

Manche nennen diesen Engel auch den Engel der Vorsehung. Aber das Wort »Vorsehung«könnte auch missverstanden werden, so als sei alle Zukunft schon festgelegt oder als brauche man selbst nichts zu tun und nur auf einen Retter in der Not zu warten.

Dieser Engel unterstützt uns darin, Probleme zu erkennen und zu lösen. Darum wird er hier *der Engel der Heilung* genannt. Er hilft uns Menschen, zur richtigen Zeit Probleme zu beheben, Hilfe anzunehmen und unsere Aufgaben zu erledigen, ohne etwas unter den Teppich zu kehren.

Mit dieser Wachheit und Achtsamkeit hilft er uns auch in Notsituationen. Das wirkt dann mitunter wie ein Wunder – und es *ist* wunderbar, doch es ist auch ein Erfolg der eigenen Bemühungen. Nur im Zusammenwirken von Mensch und Gott (im Wirken von Menschen, die offen sind für »Gott«) gelingen eine gedeihliche Weiterentwicklung der Schöpfung und die Heilung alter und neuer Nöte.

Engelrat

Gott schenkt sogar Gewinne im Lotto, aber das Los dafür muss man schon selbst kaufen.

Zur Meditation

Ich vertraue auf die Kraft der Schöpfung und finde eine Lösung für meine Probleme.

Der Engel der Heilung

♥ Liebe

Der Engel der Heilung begleitet Sie, nimmt Sie an die Hand und ist in den wichtigsten Momenten im Leben zugegen. Seine Liebe öffnet uns die Augen für das Richtige in der Liebe, auch wenn dieses Geduld oder besonderen Mut erfordert!

♣ Glück

Begreifen Sie Ihr Glück im Unglück. Denken Sie daran, dass das Leben nicht nur negative Seiten hat und dass es besser ist, Sorgen abzuschütteln und sie nicht zur Gewohnheit werden zu lassen: »Wende Dein Gesicht der Sonne zu, dann lässt Du die Schatten hinter Dir.«

⚹ Erfolg

Sammeln Sie Informationen. Analysieren Sie die Problematik, treffen Sie eine Entscheidung und handeln Sie danach. Beschäftigen Sie sich!

X. Der Engel des Glücks

Hilfe bei Langeweile und Erfolglosigkeit
»Schicksal als Aufgabe«

Glück bedeutet, dass etwas glückt, also dauerhaft gelingt - weil der eigene Wille und der »Wille«des Schicksals übereinstimmen. »Glück ist Talent für das Schicksal«, hat Novalis einmal gesagt und damit genau diesen Zusammenhang beschrieben.

Glück ist nicht selbstverständlich, und so ist es nicht immer leicht zu verstehen, was gut für unser Glück ist. Glück will gefunden und erkannt werden. Dieser Engel unterstützt Sie darin.

Ziehen Sie eine Summe aus allen zugänglichen Erfahrungen und konzentrieren Sie sich dabei auf die wesentlichen Wünsche und Ängste. Jedes Leben besteht aus vielen Bruchstücken und Einzelteilen. Sie entscheiden, wo der rote Faden dazwischen verläuft.

Es hängt von Ihren Zielen und Ihrem Geschick ab, möglichst viele Ihrer Talente zur Geltung zu bringen.

Engelrat

Sie selbst müssen zum Klingen kommen und Ihre Stimme erheben. Idolen nachzueifern oder privaten Reichtum anzuhäufen, wird Sie nicht ausfüllen, geschweige denn glücklich machen.

Zur Meditation

Ich mache meine Talente für möglichst viele Menschen fruchtbar.

Der Engel des Glücks

♥ Liebe

Glück und Erfolg in der Liebe hängen nicht nur davon ab, ob man Liebe besitzt; sondern auch davon, dass man Wege (er-) findet und Brücken baut, um seine Liebe an die richtige Adresse zu bringen.

♣ Glück

Der Engel möchte, dass Sie sich selbst finden und zu sich selbst stehen. Begreifen Sie, dass kein anderer Mensch auf dieser Welt so ist wie Sie! Machen Sie das Beste aus dem, was dieses Leben Ihnen mitgegeben hat.

✒ Erfolg

Handeln Sie mit großer Freude und Begeisterung, erfahren Sie dabei Ihre eigenen Interessen und Neigungen. Neid, Unwissenheit und Nachahmung sind tabu!

XI. Der Engel des Mutes und des Willens

Hilfe bei Angst und Hilflosigkeit
»Mit kleinen Schritten zu großen Zielen«

Setzen Sie all Ihre Kraft ein. Folgen Sie dem, was Sie innerlich bewegt. Sie besitzen und benötigen den Willen, sich voll und ganz zu engagieren. Dieser Engel unterstützt Sie dabei.

Sie brauchen Auseinandersetzungen nicht zu fürchten. Begrüßen Sie sie vielmehr als Gelegenheiten, in denen Sie stille Reserven zum Leben erwecken. Berechtigte Einwände hingegen sollten Sie genau untersuchen. Hinterfragen Sie scheinbare Selbstverständlichkeiten.

Ihre wichtigste Waffe ist der Kopf. Ob Sie Ihre Ziele planen, über die Methoden und die Zwischenschritte Ihres Vorgehens nachdenken, ob Sie wechselseitige Stärken und Schwächen studieren und vieles mehr, was zum Erfolg erforderlich ist – es gelingt Ihnen nur, wenn Sie bewusst und – bei aller Willenskraft – gerade *ohne* hehren Eifer und ohne egoistische Emotionen zu Werke gehen.

Engelrat

Ein positives Verhältnis zu Lust und Sexualität ist Ergebnis und Voraussetzung Ihres Erfolgs.

Zur Meditation

Ich betrachte alles, auch meine »Gegner«, als Geschöpfe »Gottes« – als Spiegel und Herausforderung.

Der Engel des Mutes und des Willens

♥ Liebe

In der Liebe ist es erlaubt, sich zu öffnen, alles, was Sie bewegt, miteinander zu besprechen, sich auffangen zu lassen und dabei Ihrem Ziel gemeinsam näher zu kommen.

♣ Glück

Der Engel freut sich täglich mit Ihnen, wenn Sie immer wieder mit ihm einen Schritt nach vorne gehen. Erleben Sie, dass Sie bald gar nicht mehr an das Negative oder Unmögliche denken werden. Sie können es hinter sich lassen, denn es hat sich erledigt!

↗ Erfolg

Worüber machen Sie sich Sorgen oder Ängste? Halten Sie inne, hinterfragen Sie, was Sie tun können, um Mut und Stärke aufzubringen. Probleme sind da, gelöst zu werden – und um daran noch weiter zu wachsen!

XII. Der Engel der Träume und der Visionen

Hilfe bei Ahnungs- und Ziellosigkeit

»Wunder werden Wirklichkeit«

Dieser Engel schenkt uns den Kontakt mit tieferen Schichten der Persönlichkeit und mit einer »höheren« Wirklichkeit, die wir durch den Traum, durch Phantasie und Spiel und durch überraschende Lebenswendungen erfahren. Er führt uns näher an Gott heran.

Die Mystiker des Abendlandes berichteten von ihren ekstatischen Visionen. Die alten Griechen behandelten Krankheiten unter anderem mit Heilschlaf und Traumdeutung.

Achten auch Sie auf Ihre Träume. Dieser Engel wird *Thaumaturgos* (griechisch: Wundertäter oder Wunderschöpfer) genannt. Er unterstützt Sie bei der Beendigung von Albträumen (das Geschenk der Ruhe) und bei der Verwirklichung von Wunschträumen und Visionen (das Geschenk der Erfüllung).

Engelrat

Wenn Sie Ihre Träume deuten und Ihre Leidenschaften verstehen, können Sie unvermeidliche Schmerzen leichter akzeptieren, sinnloses Leiden beenden und wirkliche Wunder wahr machen.

Zur Meditation

Ich will meine größeren Möglichkeiten kennen lernen und mehr aus meinem Leben machen.

Der Engel der Träume und der Visionen

♥ Liebe

Ein Feuerwerk der Gefühle und Schmetterlinge im Bauch lassen Ihren Blick auf die Liebe schweifen. Lassen Sie sich nicht einschüchtern und nicht ablenken! Nur die Liebe zählt!

♣ Glück

Zum Glück gibt es Wunder immer wieder. Der Engel möchte Sie animieren, diesen Gedanken daran zuzulassen. Folgen Sie Ihren Lebensträumen.

⭷ Erfolg

Traum, Herz und Vision entscheiden auch über den Erfolg in Ihren laufenden Projekten. Ihr Engagement, Ihre Leidenschaft, Ihre innere Bereitschaft, der nach vorne gerichtete Blick sind wichtig. Lassen Sie Ihrer Seele Flügel wachsen …

XIII. Der Engel als Seelenführer

Hilfe bei Verzweiflung oder Enttäuschung
»Alles geht vorüber und nichts geht verloren ...«

Dieser Engel unterstützt uns als *Seelenführer* (griechisch: *Psychopompos*) und macht klar: Gott lässt uns auch bei Tod und Wiedergeburt nicht allein.

Bei Licht betrachtet führt es zu einer gesteigerten und tieferen Lebendigkeit, wenn man sich seines Pulsschlages und der eigenen Zeitlichkeit bewusst wird. Doch es liegt in der Natur der Sache, dass der Gedanke an den Tod oftmals - und nicht nur zu Unrecht - weniger als eine Steigerung der Lebendigkeit empfunden wird, denn als eine Lähmung.

In diesem Punkt jedoch legt dieser Engel eine andere Betrachtungsweise nahe: »Was man nicht vermeiden kann, muss man betonen.« Er steht dafür, den Tod nicht zu verdrängen. Sein Rat ist, bewusster zu leben und bewusster die Früchte des Daseins zu genießen. Nichts geht verloren, alles bleibt bestehen, was einen Platz im Bewusstsein der Menschen gefunden hat.

Engelrat

Jeder Mensch besitzt ein einmaliges Leben. Was wollen Sie daraus machen? Was werden Sie ernten in diesem Leben?

Zur Meditation

Ich habe etwas zu erledigen! Ich will eine gute Ernte einfahren.

Der Engel als Seelenführer

♥ Liebe

Genießen Sie Ihre Liebe zueinander jeden Tag aufs Neue, denn Leben ist vergänglich. Die Zeit vergeht, ohne dass wir sie aufhalten können.

♣ Glück

Ihre eigene Welt kann Ihnen niemand nehmen! Der Engel lässt Sie nicht allein. Er macht Ihnen klar, sich selbst als Ganzes wahrzunehmen. Finden Sie den Weg zu Ihrem sinnerfüllten, selbst bestimmten Leben. Glück und Leid, beides gilt es anzunehmen, aber auch loszulassen.

✈ Erfolg

Lassen Sie sich Zeit. Finden Sie wieder festen Boden unter den Füßen. Gelingt es nicht allein oder im Kreise Ihrer Lieben, suchen Sie sich professionelle Hilfe. Betrachten Sie sich aus der Distanz, es ist die Grundvoraussetzung für starke Entscheidungen!

XIV. Der Engel der Mäßigkeit

Hilfe bei Unfruchtbarkeit und Kleinmut

»Den wahren Wille ermitteln«

Bereits in der Antike zählte die *Mäßigkeit* zu den Kardinaltugenden. Damit ist nicht die Mäßigung, eine Art Sparsamkeit oder Bescheidenheit, gemeint. Sondern es geht um das Maß der Dinge, um *das richtige Maß*. Dabei hilft uns dieser Engel.

Das Bild zeigt zwei Gefäße, zwischen denen es fließt. Das *Opus magnum*, das große Werk, besteht darin, zwei verschiedene Welten zu trennen und zu vereinen: Den eigenen Willen und den Willen »Gottes«. Ohne eigenen Willen können Sie wenig bewegen. Ohne die Offenheit für alles, was das Leben mit Ihnen vorhat, also für den Fluss oder den Gang der Schöpfung, fehlen Ihnen Substanz, Bedeutung und Nachhaltigkeit.

Je mehr Sie die Widersprüche Ihres Lebens bearbeiten, umso mehr löst sich der anfängliche Gegensatz zwischen Wunsch und Wirklichkeit, zwischen eigenem Willen und der Realität der anderen in einer neuen Qualität, eben der *Mäßigkeit*, auf.

Engelrat

Jenseits von Verzicht und Anmaßung erkennen Sie Ihre wahren Lebensaufgaben.

Zur Meditation

Ich bringe meine Ziele in Ordnung.

Der Engel der Mäßigkeit

♥ Liebe

Haben Sie Freude am Leben zu zweit und seien Sie dankbar für das Leben. Die Liebe muss unaufhörlich wachsen, wenn sie bestehen soll. Wer liebt, ist voller Leben.

♣ Glück

Mischen Sie, sortieren Sie, wandeln Sie um. Es ist doch sehr beglückend, innerlich ausgeglichen zu sein. Das Karussell des Lebens dreht sich und der Engel lädt Sie ein, mitzufahren.

↗ Erfolg

»Den wahren Willen ermitteln« – bedeutet, sich zu hinterfragen, ob Sie mit den gegebenen Verhältnissen und Leistungen einverstanden sind und auch nichts auszusetzen haben. Wie steht es mit Ihrem Wohlbefinden? Betrachten Sie Ihr eigenes Verhalten selbstkritisch!

XV. Der Engel der Schatten

Hilfe bei Krisen und Grenzerfahrungen
»Neue Werte verankern«

Mitunter wird dieser Engel auch »der gefallene Engel«, »der Teufel« oder der »Engel des Verrats« genannt. Die letzte Bezeichnung trifft am wenigsten zu.

»Von allen Geistern, die verneinen, ist mir der Schalk am wenigsten zur Last«, lässt Goethe den Herrgott in »Faust« über den Teufel Mephisto sprechen. Dieser »Schalk« vertritt stets das *Gegenteil* der vorhandenen Auffassungen: heiß statt kalt, jung statt alt, unbedacht statt besonnen und so weiter. Natürlich kann in dieser einfachen Umkehrung eine Gefahr liegen – aber möglicherweise auch eine Chance, wenn man mit den bisherigen Methoden nicht mehr weiterkommt. Das wäre eine erste Hilfe dieses Engels.

Dann der klassische Teufel: Er handelt von Tabus – von solchen, die fehlen und dringend benötigt werden, und von anderen, die überflüssig sind, die »zum Himmel stinken« und stören. Dieser Engel hilft uns dabei, uns mit Tabus auseinanderzusetzen. Sein Rücksturz zur Erde zeigt, wo unsere Aufgaben liegen: hier und jetzt auf dem Boden der Tatsachen.

Engelrat

Fehlende Tabus müssen endlich eingerichtet und überflüssige Tabus allmählich abgeschafft werden. Tun Sie es!

Zur Meditation

Ich trenne Spreu vom Weizen.

Der Engel der Schatten

♥ Liebe

Leben Sie das Bedürfnis von Zärtlichkeit aus. Monotonie und Verletzungen schaden der Liebe, Abwechslungen mit Rücksicht auf die Gefühle des anderen sind willkommen.

♣ Glück

Glück muss spannend bleiben, dazu gehört auch die Einhaltung gewisser Freiräume im Hinblick auf bestimmte Spielregeln. Veränderungen beleben das Glück und tragen dazu bei, eine enorme Steigerung der Lebensqualität und des Selbstwertgefühls zu erfahren.

↗ Erfolg

Es gibt genügend Tipps und Rezepte zur Selbsthilfe bei heiklen Themen. Der Engel rät Ihnen, keine Angst zu haben. Öffnen Sie sich. Lernen Sie Veränderungen sowie andere Bedürfnisse zu akzeptieren.

XVI. Der Schutzengel
Hilfe bei Bedrohung und Umwälzung
»Gesteigerte Wachsamkeit und vertiefte Ruhe«

Der Engel wacht, während die Menschen schlafen. Entweder verschlafen sie die Umwälzung in ihrem Leben, vor der sie sich entweder als einer Bedrohung schützen oder aber auf die sie sich als verheißungsvolle Gelegenheit vorbereiten sollten. Dann hilft uns dieser Engel, indem er uns wachrüttelt.

Oder die Menschen haben alles getan, um sich einerseits vor drohenden Gefahren zu schützen und andererseits, um bei einer wirklich besonderen Lebenschance zuzugreifen. Dann schlafen sie mit Recht und in guter Ruhe; dann hilft uns dieser Engel, »gut durch die Nacht«(und den Tag) zu kommen.

Stellen Sie sich auf starke Energien ein. Gewisse Einwände oder Vorbehalte zählen nun nicht mehr. Sie werden die Lage im Griff behalten, wenn Sie sich ganz in den laufenden Prozess hineinbegeben, ohne dass jetzt zu erkennen wäre, wo Sie eines Tages ankommen werden. Ihr Engel hilft Ihnen, indem er Sie ermuntert, gelassen zu bleiben, sich auf Gott und das, was wirklich wichtig in Ihrem Leben ist, zu besinnen.

Engelrat

Lernen Sie, »den Tiger zu reiten«.

Zur Meditation

Ich lasse mich auf das Geschehen ein; ich kümmere mich um alles, aber mache (mir) keinen Kummer; »Gott« ist gnädig.

Der Schutzengel

♥ Liebe

In der Liebe erlebt man Höhen und Tiefen. Gemeinsam gilt es Krisen oder auch Leerlauf zu meistern. Wenn Sie nicht davon laufen, lassen Sie die Liebe auch bei außergewöhnlichen Herausforderungen reifer, stärker – und lustvoller werden.

♣ Glück

Der Schutzengel ist der persönliche Beistand eines Menschen. Sie haben das große Glück, dass er Sie bei Tag und bei Nacht schützt, Sie durch Ihre Träume begleitet und in extremen Situationen hilfreich zur Seite steht.

↗ Erfolg

Geben Sie alles, ziehen Sie alles in Erwägung. Ihr persönlicher Einsatz macht Ihnen und anderen Mut! Aktivieren Sie Ihren Kampfgeist, aber bedenken Sie auch: in der Ruhe liegt die Kraft.

XVII. Der Engel der Hoffnung

Hilfe bei Vergesslichkeit und Gedankenlosigkeit

»Der Wahrheit ins Auge sehen«

Welchen Platz räumen Sie Hoffnungen und Tagträumen in Ihrem Leben ein? Und wie viel Raum bleibt Ihnen dann selbst noch? Dieser Engel zeigt uns, welche Phantasien und Gedanken für uns gut sind und welche nicht.

Gott ist gnädig und er (oder sie) hilft uns, gerade auch in schwierigen Zeiten. Er ist nicht der Urheber von Glück und Unglück, aber *mit Gott* können wir Glück besser genießen und Unglück besser ertragen als ohne Gott.

Etwas ganz anderes ist es jedoch, stets und ständig danach zu schauen, dass jemand uns an die Hand nimmt. Das ist kein Gottvertrauen, sondern schlichte Unselbständigkeit. Davor warnt uns der Engel mit seinem Blick auf die Hand von oben. Andererseits könnte diese Hand bedeuten, dass man nichts und niemanden wirklich an sich heran lässt.

Engelrat

Machen Sie sich keine falschen Hoffnungen. Besitzen Sie keine falschen Scham- oder Schuldgefühle. Entdecken und leben Sie Ihre Weisheit und Schönheit. Lassen Sie Ihre Brillanz erstrahlen.

Zur Meditation

Ich bin eine weise Frau. Ich bin ein schöner Mann.

Der Engel der Hoffnung

♥ Liebe

Liebe sieht man nicht mit den Augen, sondern mit dem Herzen. Unser Leben ist geprägt durch unsere Liebe, passen Sie trotzdem auf, dass Liebe nicht blind macht.

♣ Glück

Immer wieder können Sie sicher sein, dass – wenn sich eine Tür im Leben vor Ihnen schließt – sich dafür irgendwo eine andere öffnet. Ernst Deutsch hat einmal geschrieben: »Wer vom Glück immer nur träumt, darf sich nicht wundern, wenn er es verschläft.«

↗ Erfolg

Der Engel weiß, dass die Hoffnung zuletzt stirbt. Trotzdem: Ziehen Sie aus Fakten Ihre Schlüsse! Die Wahrheit im Leben ist für den Menschen zumutbar. Gehen Sie auf die Suche, weichen Sie ihr nicht aus!

XVIII. Der Engel der Besonnenheit

Hilfe bei Hysterie und Hektik
»Not macht erfinderisch«

Neue Aussichten brauchen auch neue Einsichten. Besonnenheit heißt, dass Sie Licht in noch unbekannte Angelegenheiten bringen, sich vorsehen und unbedachte Alternativen durchdenken.

Eine Wiederholung des Gewohnten nach dem Motto »mehr desselben«führt nicht weiter. Auch eine »Flucht nach vorn« ist keine Lösung. Dieser Engel hilft Ihnen zu *verstehen*, was Sie tun und »wohin die Reise geht«! »Wenn du weißt, was du tust, kannst du tun, was du willst« (Moshé Feldenkrais).

Widersprüche und Gegensätze sollen nicht nur ertragen, sondern selbst zum Gegenstand der Entdeckung, zum Anreiz für neue kreative Möglichkeiten gemacht werden.

Kraftmeierei und Willensanstrengung führen Sie dabei ebenso wenig weiter wie ängstliches Zaudern oder geduldiges Zuwarten. Not macht erfinderisch, wenn Sie sich von ihr nicht schachmatt setzen lassen. Für die gegebenen Probleme gibt es intelligentere Lösungen; auf die kommt es jetzt an.

Engelrat

Machen Sie aus der Not eine Tugend und aus dem Unbekannten eine Entdeckung!

Zur Meditation

In der Ruhe liegt die Kraft.

Der Engel der Besonnenheit

♥ Liebe

In der Ruhe liegt die Kraft. Gerade bei den Fragen, die Ihnen wirklich am Herzen liegen, müssen Sie sich besinnen und Kurzschlusshandlungen vermeiden. Lieben heißt auch *wählen!* Nur langsam, keine Hast. Sie haben die Wahl.

♣ Glück

Der Engel der Besonnenheit ist gleichzeitig der Engel der Gelassenheit. Der Zustand der Ruhe ist auch eine Gnade. Wenn sich stürmische Wogen beruhigen und sich wieder in Harmonie wiegen, ist das Glück erneut hergestellt.

↗ Erfolg

Lassen Sie sich nicht ins Bockshorn jagen! Es gibt immer eine Alternative – mindestens *eine* Alternative.

XIX. Der Engel der Gnade

Hilfe bei Vergeblichkeit und Härte

»Sackgassen beenden«

Dieser Engel steht für die »Gnade der zweiten Geburt«. Es gibt nichts Besseres, wenn es um Lebensglück und Lebenserfolg geht. Die »zweite Geburt« besteht darin, dass wir uns als Erwachsene ein zweites Mal und diesmal selbst »gebären«, das heißt, ins Leben rufen. Sie bedeutet eine selbst gewählte Existenzform und eine bewusste Lebensführung.

An die Stelle eines herkömmlichen Verhaltens und Denkens tritt somit ein selbst erprobter Lebensstil. Eine Wahlheimat tritt an die Stelle des Geburts- oder Dienstorts, und Wahlverwandtschaft ersetzt Blutsverwandtschaft (wobei man natürlich auch bewusst am alten Ort bleiben und/oder die alten als die neuen Verwandten bestätigen kann).

Wille und Bewusstsein bestimmen die großen und die kleinen Dinge des persönlichen Lebens anstelle von Gewohnheit und Wiederholung. Das ist das Entscheidende und dabei hilft uns dieser Engel.

Engelrat

Werden Sie so erwachsen, dass Sie wieder zum Kind werden können.

Zur Meditation

Immer wieder geht die Sonne auf – auch für mich!

Der Engel der Gnade

Liebe

Der Engel der Gnade liebt Sie. Jeder Mensch ist irgendwann aufgerufen und bereit, seine eigenen Erfahrungen zu machen, sich abzuwenden, um Sackgassen zu entrinnen und selbstbewusst seinen eigenen zu Weg gehen.

♣ Glück

Treten Sie Ihre Reise ins eigene Glück an. Was gibt es Schöneres, als auf die eigene innere Stimme zu hören und zu erfahren, dass man den richtigen Schritt im Leben unternommen hat.

⚹ Erfolg

Erkennen Sie, dass Sie sich selbst am Nächsten stehen. Es gibt genug Möglichkeiten um gegenzusteuern. Phasen Ihres Lebens in bestimmten Momenten müssen angepackt werden, um eigene Vorstellungen verwirklichen zu können und Veränderungen herbeizuführen.

XX. Der Engel der Verantwortung und der Selbständigkeit

Hilfe bei Existenzangst und Überforderung
»Lebensfreude statt Lebenskampf«

Existenzangst und Existenzkampf hatten und haben ihre historischen Gründe. Für diesen Engel sind diese Motive jedoch überholt, eine eher abschreckende Vorstellung. Die eigene Existenz ist nun untrennbar an die persönliche Individualität geknüpft – und die kann man weder durch Krieg noch durch anderen Kampf erstreiten. Nur solange ein eigener Weg *nicht* beschritten wird, erscheint manches »wie verhext« und als Herausforderung zum Kampf.

Jeder Mensch ist unmittelbar zu Gott. Jeder trägt einen eigenen göttlichen Funken in sich.

Je mehr wir das erkennen, umso mehr verwandelt sich der frühere Existenzkampf in die Entwicklung einer wachsenden persönlichen Selbständigkeit und in eine immer größere Lebensfreude. Dazu gehört auch die Unterstützung für solche, die tatsächlich um ihr Leben kämpfen müssen. Da können wir zum »Engel« für andere werden.

Engelrat

Setzen Sie sich mit Himmel und Hölle, mit den großen und kleinen Geheimnissen des Lebens selbst auseinander. Sammeln Sie Erfahrungen. Machen Sie einen Unterschied.

Zur Meditation

Ich bin ein wundervoller Mensch.

Der Engel der Verantwortung und der Selbständigkeit

♥ Liebe

In einer zwischenmenschlichen Beziehung darf es keinen großen Erwartungsdruck geben. Er würde der Liebe schaden und die Lebensfreude trüben. Wenn es dauernder Kampf oder Krampf ist, ist es keine Liebe.

♣ Glück

Der Engel der Verantwortung und der Selbständigkeit duldet keine permanente Bevormundung und keine unnötige Einmischung, er liebt die eigenen Gedanken und die persönliche Freiheit. Der Mensch soll zum eigenen Glück finden und seine Lebensfreude nicht verlieren.

↗ Erfolg

Lassen Sie sich nichts »alles« gefallen, seien Sie achtsam, wehren Sie sich und kämpfen Sie für Ihre berechtigten Forderungen. Doch der Engel erkennt sogar in Ihren Gegner – direkt und indirekt – Chancen und Angebote!

XXI. Der Engel der Einkehr und des Gebets

Hilfe bei Fassungslosigkeit und Chaos
»Licht für die Seele«

Ein richtiges Wort zur richtigen Zeit kann Wunder wirken. Das richtige Wort zur richtigen Zeit vermittelt Einsicht und Verständnis, und mit Verständnis können seelische Wunden heilen.

Wie das vorherige Bild, so darf auch das vorliegende nicht nur auf verschiedene Menschen bezogen werden; es zeigen sich auch verschiedene (seelische) Seiten *einer* Person. »Drei Seelen in der Brust« können sich hier für Ihre aktuelle Situation darstellen.

Dieser Engel hilft uns, innere Widersprüche auszusprechen und zu überbrücken. Mit diesem Engel werden Sie die Seelen erklingen lassen wie edle Kelche. Sie fassen Vertrauen zu dem, was Ihnen oder anderen am Herzen liegt, auch wenn es in sich widersprüchlich erscheint. Die Seele verträgt mehrere Wahrheiten zur gleichen Zeit, ohne ihre Ganzheit zu verlieren.

Engelrat

Scheuen Sie sich nicht vor »emotionalen« Reaktionen. Teilen Sie sich mit. Setzen Sie Ihre emotionale Intelligenz ein.

Zur Meditation

Ich verzichte auf Selbstgespräche und Monologe; ich finde meine Form des Gebets mit »Gott« oder der Kraft der Schöpfung.

Der Engel der Einkehr und des Gebets

♥ Liebe

Entspannen Sie sich. Konzentrieren Sie sich auf den Atem. Entspannen Sie sich.

♣ Glück

Bei Verwirrung und Fassungslosigkeit möchte der Engel, dass Sie wieder zurückfinden zu sich selbst. Sie haben ein persönliches Recht auf Lebensfreude! Um glücklich zu sein, hilft »Gott« wieder zur Lebenslust zurück. Er ist bei Ihnen.

↗ Erfolg

Wollen Sie so weiter machen wie bisher? Was unternehmen Sie bei Unzufriedenheit? Befinden Sie sich in der Lage, Probleme fair zu lösen? Suchen Sie Antworten, die Sie weiterbringen und zur Ruhe kommen lassen.

XXII. Der Engel der Initiative und der Hingabe

Hilfe bei Lieblosigkeit und Enge
»Mit Leib und Seele«

Dieser Engel erinnert Sie an Ihre Kraft, Ihr Glück zu finden und zu verwirklichen. Dabei kommt es auf Ihre Bereitschaft an, die manchmal enorme Spannung zwischen Möglichkeit und Wirklichkeit auszuhalten. Der Platz in den Wolken symbolisiert zwar sicherlich ein Leben »wie auf Federn gebettet«; aber er ist auch der Ort des Übergangs *zwischen* Himmel und Erde. Das bedeutet manchmal auch, dass man zwischen allen Stühlen sitzt.

Hier kommt der Engel der Hingabe ins Spiel. Ähnlich wie es in früheren Zeiten üblich war, zur Berufsausbildung auf *Wanderschaft* zu gehen, so kommt es heute für jeden von uns auf eine spirituelle Wanderschaft an. Eine persönliche *Suche* ist unvermeidlich. Man muss sozusagen mehrmals geboren werden - *in* diesem Leben -, bis aus Erfahrung und Betroffenheit die Luftschlösser verschwinden und das persönliche Traumhaus Wirklichkeit wird.

Engelrat

Je größer die Hingabe bei der Suche, umso schöner das Resultat.

Zur Meditation

Ich widme mich dem Weg der Liebe mit ganzer Hingabe.

Der Engel der Initiative und der Hingabe

♥ Liebe

Die Liebe lebt von liebenswerten Gesten, wie zum Beispiel einem Lächeln. Die Feinde der Liebe sind Hartherzigkeit, Gleichgültigkeit, Unterdrückung, Desinteresse und Kälte.

♣ Glück

Prüfen Sie, wem Sie trauen und woran Sie glauben. Der Engel der Hingabe führt Sie zu Ihrem Glück. Voraussetzung hierfür ist das Vertrauen. Es bedeutet ein absolutes Getragenwerden, in etwas aufgehen und es aktiv tun, mit Leidenschaft und Freude.

✈ Erfolg

Dem Engel der Hingabe mit Leib und Seele begegnen, gelingt nur, wenn Sie im Denken und Wollen frei sind. Wenn Sie etwas tun wollen, tun Sie es ganz.

XXIII. Der Engel der Freiheit

Hilfe bei Erschlaffung und Abhängigkeit
»Selbstbestimmung statt Fremdbestimmung«

Auf den ersten Blick eine scheinbar unerfreuliche Karte. Man denkt an Gefangenschaft oder vielleicht an Abhängigkeit. Doch dieser Engel steht gerade für *die Aufhebung* eines solch unerquicklichen Zustands.

Wenn Sie sich gefesselt, gehemmt oder gefangen fühlen, dann ist jetzt eine gute Zeit dafür, diese hinderlichen Bindungen aufzutrennen. Dies ist weniger eine Frage des guten Willens, sondern der Autonomie, der *Selbstbestimmung.* Nutzen Sie Ihre Kraft, das heißt Ihre eigene Kraft und Ihren eigenen Antrieb, und schreiten Sie zur Tat.

Zugleich ermuntert der Engel Sie dazu, einmal bewusst von äußeren Reizen Abstand zu nehmen und Ihr inneres Wissen zur Geltung zu bringen. Manchmal ist es nötig, sich bewusst abzuschotten, sich gleichsam anzuketten – um auf Unkenrufe und Sirenengesänge nicht länger hereinzufallen.

Engelrat

In jedem von uns steckt ein König. Stellen Sie sich nicht über andere. Aber auch nicht unter andere!

Zur Meditation

Ich begrüße und genieße mein eigenes Leben.

Der Engel der Freiheit

♥ Liebe

»Es gibt nichts Gutes außer man tut es« (Erich Kästner). Besinnen Sie sich auf Ihre Kraft, Gutes zu bewirken! Auch in Ihnen steckt ein König oder eine Königin! Und die Liebe ist Ihr Königreich.

♣ Glück

Der Engel der Freiheit ist mit Ihnen auf der Suche nach dem Glück. Sie sind glücklich, wenn die Lebensgewohnheiten, das gegenseitige Verhalten und das Persönlichkeitsbild in Ihrer Beziehung nicht dem Verlangen oder dem Druck eines Menschen untergeordnet werden müssen.

↗ Erfolg

Bei Ermüdung und Abhängigkeit hilft es, die Einflussfaktoren seiner Lebensumstände zu erkennen. Denken Sie an Ihre Gesundheit und Ihr Wohlbefinden.

XXIV. Der Engel der Vergebung

Hilfe bei Minderwertigkeits- und Schwächegefühlen

»Mein Engel steht zu mir«

Dieser Engel hilft uns, Schwächen nicht zu verachten – eigene Schwächen zu akzeptieren und anderer Leute Schwächen zu verzeihen.

Ihren Kopf und Herz, Geist und Verstand besitzen Sie gerade für schlechte Tage. Schalten Sie nicht ab, wenn es Schwierigkeiten gibt, sondern mobilisieren Sie Ihre gesamten Kräfte, ziehen Sie sie zusammen, sondieren Sie, und erholen Sie sich.

Schwächen sind als Teil des Ganzen unvermeidlich. Wir gewinnen sogar neue Kräfte, falls wir Schwächen zugeben können und wenn wir in vernünftigem Maße dem nachgehen, wofür wir eine Schwäche besitzen. Obgleich Ihre Schwächen schon einen Sinn haben – wie viel mehr Ihre Stärken!

Engelrat

Lassen Sie sich von Schwierigkeiten nicht herunterziehen. Die Wahrheit hat viele Gesichter. Gerade wenn Sie Schwierigkeiten beheben und unvermeidliche Fehler ertragen müssen, dürfen Sie die Flinte nicht ins Korn werfen.

Zur Meditation

Ich nehme meine und unsere Schwächen an – und mache etwas daraus!

Der Engel der Vergebung

♥ Liebe

Verzeihen Sie sich und anderen, ohne nachtragend oder naiv zu sein. Die Entschuldigung spielt eine wichtige Rolle, man gesteht seinen eigenen Fehler ein und gesteht dem Partner Fehler und Schwächen zu.

♣ Glück

Jeder hat seine Stärken und Schwächen. Es gibt mehr »richtige« Lösungen, als man zunächst vermutet. Verbinden Sie sich mit »Gott« und den Dingen im Leben, die wirklich wichtig sind. Viele kleinliche Sorgen und Befürchtungen werden dann unbedeutend.

⚹ Erfolg

Suchen Sie Abstand und Freiheit, lassen Sie sich nicht länger verletzen oder »in die Ecke stellen«! Sagen Sie »ja« zu sich und Ihren berechtigten Zielen! Bleiben Sie flexibel. Es gibt mehr als einen gangbaren Weg

XXV. Der Engel des Erwachens

Hilfe bei Hoffnungslosigkeit und Schuldgefühlen

»Es hat keinen Zweck mehr, sich zu verstecken«

Wir können zu einem neuen Leben aufstehen. Dieser Engel unterstützt uns dabei. Wenn wir es lernen, uns und anderen immer wieder zu verzeihen, dann lösen sich Spannungen, und neue Möglichkeiten tun sich auf.

Manchmal gelingt der Neuanfang nur, wenn zuvor offene Rechnungen beglichen wurden. Der Engel kann uns auffordern, uns erneut mit Menschen auseinanderzusetzen, die scheinbar für uns schon »gestorben« waren. Man muss vielleicht einen Teil der Auseinandersetzung, der noch aussteht, nachholen. Damit schafft man die Voraussetzung für einen radikalen Neubeginn, der von altem Ballast befreit.

Zugleich holt uns dieser Engel »aus der Versenkung«. Wir sollen uns nicht in alten Fehlern, Selbstvorwürfen oder übertriebenen Schuldgefühlen begraben.

Engelrat

Wenn Sie einen Strich unter Vergangenes ziehen können, fühlen Sie sich wie neugeboren. Strecken Sie die Hand aus – für einen Neuanfang, einen Abschied, eine Bereinigung oder Klärung!

Zur Meditation

Ich gebe mir eine neue Chance!

Der Engel des Erwachens

♥ Liebe

Riskieren Sie mehr Offenheit! Verlässlichkeit in der Gegenwart wie auch in der Zukunft wird groß geschrieben. Es besteht immer die Möglichkeit zur gegebenen Zeit neue Chancen zum Gespräch zu nutzen.

♣ Glück

Der Engel des Neuerwachens findet mit Ihnen zurück zum Neubeginn, denn Krisen, Trennungen, Verluste, Unzufriedenheit und andere unerwünschte Dinge beinhalten eine Chance zur Veränderung.

↗ Erfolg

Äußern Sie Ihre Ansprüche und Visionen! Fehler müssen besprochen werden. Man kann sie eingestehen oder korrigieren. Begraben Sie Altes und starten Sie einen neuen Aufbruch!

XXVI. Der Engel der Inspiration

Hilfe bei Motivationskrisen und Blockaden

»Gott ruft mich«

Motivationskrisen und Blockaden stellen oft ein »Fegefeuer« dar. Da scheint etwas überbelichtet zu sein. Man will sich und anderen etwas weismachen, und das funktioniert nun nicht mehr.

Doch gerade dieses schafft die Voraussetzung für neue Inspiration.

Es geht um viel. Der Engel schubst uns an und steckt uns ein neues Licht auf, was die nächsten Schritte in Sachen Lebensaufgaben anzeigt.

»Der Ruf des Himmels ist das wichtigste Ereignis des gesamten Lebens«, so heißt es. Doch wie macht sich dieser Engel, dieser Ruf bemerkbar? Die Antwort liegt in den Dingen des persönlichen Lebens. Alle Situationen und Ereignisse, die besonders intensive Energien ausstrahlen, geben einen Hinweis darauf, dass da etwas eine besondere Rolle in unserem Leben spielt. Momente voller Begeisterung ebenso wie Erfahrungen, die durch Stress oder Anstrengung besonders auffallen.

Engelrat

In Ihren Begabungen wie Ihren Handicaps liegen Ihre Lebensaufgaben und alle kreativen Lösungen, nach denen Sie suchen.

Zur Meditation

Ich höre auf zu suchen und nehme meine Lage an.

Der Engel der Inspiration

♥ Liebe

»Liebe fragt nicht. Liebe ist. Liebe sucht nicht. Liebe ist.« Liebe ist, was und wie sie ist. Liebe ist, wenn man Menschen, Dingen und Aufgaben – und sich selbst – Zuwendung und Raum zur Entfaltung schenkt.

♣ Glück

Wenn wir uns unvoreingenommen und ohne Berechnung auf Neues im Gewohnten wie im Ungewohnten einlassen, können wir Inspirationen empfangen. Lösen Sie sich von den bisherigen Zielen und Vorstellungen, probieren Sie anderes und mehr!

↗ Erfolg

Was macht Sinn? Durch Ihr Engagement entscheiden Sie selbst. Motivation bedeutet: abwägen, planen, handeln, bewerten. Ihre stärksten Bedürfnisse und Leidenschaften entscheiden.

XXVII. Der Engel des Friedens

Hilfe bei Wut und Aggression

»Hör mir auf mit Frieden«

Schmerz, Verletzung und Entsetzen lösen bei Ihnen nicht nur Furcht aus, sondern ebenfalls eine gewisse Faszination. Denn das Thema beschäftigt sie unterschwellig. Sie befürchten, Gefühle von Zerstörung und Hass in sich erwachen zu sehen.

Aggression ist aber an sich nicht automatisch gleichbedeutend mit Zerstörung und Bedrohung. Auf der einen Seite ist es wichtig, dass Sie sich selbst behaupten und Ihre aggressiven Impulse ausleben. Diese werden erst dann gefährlich, wenn Sie sie ganz zu leugnen versuchen. Hören Sie auf, sich zu quälen. Andererseits schaden Sie mit brutaler Härte anderen und auch sich selbst.

Setzen Sie Ihre Kraft mit ganzer Macht nicht gegen andere, sondern *für sich* ein, damit Sie einen Platz finden, wo Sie glücklich sind. Dieser Engel unterstützt Sie dabei, so oder so.

Engelrat

Lassen Sie die anderen in Ruhe. Tun Sie etwas, das Ihnen sehr gut bekommt und das nichts direkt mit anderen zu tun hat.

Zur Meditation

Ich verwöhne mich und genieße.

Der Engel des Friedens

Liebe

Der eigene Frieden und die innere Ruhe sind Voraussetzungen für die Ausgeglichenheit in der Partnerschaft. Sie übertragen sich auf andere. Frieden entsteht und bleibt auf Dauer, wenn die wesentlichen Bedürfnisse der Beteiligten erfüllt werden.

♣ Glück

Der Engel des Friedens sucht mit Ihnen gemeinsam Entspannung, Stille, Ruhe, einfach einen Ort ohne Konflikte. Schaffen Sie sich Rückzugsmöglichkeiten.

✈ Erfolg

Es gibt viele Möglichkeiten abzuschalten wie: aus dem Raum gehen, einen Spaziergang an der frischen Luft zu unternehmen, Sport treiben und so weiter. Gehen Sie dem Stress und möglichen Verletzungen aus dem Weg.

XXVIII. Der Engel der Reue

Hilfe bei Pech und Fehlschlägen
»Ende der Täuschung«

Es ist nie zu früh und kaum jemals zu spät, sein Leben zu ändern. Außerdem sollten wir die Ermutigung beherzigen, dass es besser ist, richtige Dinge »spät« zu akzeptieren als gar nicht. Eine Enttäuschung bietet die Gelegenheit der Ent-Täuschung, das heißt des Starts in ein Leben mit einer wiedergewonnenen persönlichen Wahrhaftigkeit. Das Ende einer Täuschung, deren Lektion Sie gelernt haben, setzt enorme Energien frei.

Es ist jetzt wichtig, die eigenen Schmerzen zu akzeptieren, Wut, Reue, Trauer zu leben und da hindurch zu gehen. Etwas tut Ihnen leid. Etwas ist verloren. Konzentrieren Sie sich auf das, was auf Sie zukommt.

Dieser Engel steht für den Kontakt mit neuen Gefühlen und seelischen Bedürfnissen. Sie haben die Möglichkeit, alten Stress zu verabschieden und Ihre innere Kraft, Ihre ganze Liebe wirken zu lassen.

Engelrat

Trotz widriger Umstände: Es steckt ein besonderes Glücksmoment in Ihren aktuellen Fragen.

Zur Meditation

»Sei du selbst die Veränderung, die du dir wünscht« (Mahatma Gandhi)

Der Engel der Reue

♥ Liebe

Seien Sie offen, ehrlich und konsequent – vor allem mit sich selbst. Gehen Sie auf Ihren Partner zu, teilen Sie sich mit, geben oder fordern Sie eine Erklärung. Sie haben in Wirklichkeit nichts zu verlieren, sondern viel zu gewinnen!

♣ Glück

»Auch eine Enttäuschung, wenn sie nur gründlich und endgültig ist, bedeutet einen Schritt vorwärts« (Max Planck). Auch die Reue über Verlorenes oder Versäumtes hat ihren Wert und ist ein Baustein für Ihr Glück.

↗ Erfolg

Hilfe bei Pech und Fehlschlägen finden Sie, indem Sie daraus lernen. Sammeln Sie Ihre Erfahrungen, niemand ist perfekt! Fehler soll man nicht verbergen, sie sind verzeihlich.

XXIX. Der Engel der Harmonie

Hilfe bei Unruhe und Unfrieden

»Die neue Zufriedenheit«

Für jeden von uns gibt es eine Möglichkeit, ein harmonisches Leben zu führen. Manche Rauheiten, viele Gegensätze des Lebens sind nicht zu vermeiden. Dennoch es ist nicht nötig, sein Leben in Unruhe oder Missstimmung zu fristen. Es gibt bessere Lösungen.

Ein harmonisches Alltagsleben basiert darauf, dass man mit sich selbst im Einklang ist, seine Mitwelt einzuschätzen weiß und seinen Platz im Konzert des Universums gefunden hat. Oft setzt dies eine hingebungsvolle Suche voraus (siehe Engel XXII). Natürlich muss man zum Zwecke der Harmonie nicht zu jedem Menschen, Ding oder Ereignis »ja« sagen, im Gegenteil!

Jenseits von Kitsch und Spießertum entsteht so eine persönliche Normalität, in der die eigenen Ansprüche und Errungenschaften in einem harmonischen Ausgleich vereint sind. Dieser Engel hilft uns, unsere spirituelle Wanderschaft abzuschließen und den eigenen Anteil am Konzert des Universums zu begreifen – wie zum Beispiel Musik zu machen und zu spielen.

Engelrat

Lassen Sie sich von Zynikern und unruhigen Geistern nicht beeinflussen.

Zur Meditation

Ich begrüße und genieße meinen Platz in der Welt.

Der Engel der Harmonie

♥ Liebe

Das Verhältnis zwischen Übereinstimmung, Ausgeglichenheit, Einigkeit und Zufriedenheit ist die Harmonie in der Liebe. Man empfindet sie als Wohlbehagen. Der Engel der Harmonie ist wichtig für Ihren Seelenfrieden.

♣ Glück

Heute können selbst sehr unerwartete, fremde und ungewöhnliche Momente zur Harmonie und zum Glück beitragen, wenn man sich ihrer nur annimmt und einen gemeinsamen Nenner für sie findet.

↗ Erfolg

Jeder Mensch hat unterschiedliche Charaktereigenschaften. Überprüfen Sie Ihr Verhalten.

XXX. Der Engel der Dankbarkeit

Hilfe bei Missgunst und Einsamkeit
»Die neue Freundschaft«

Die Freude, die wir in uns selbst entdecken und mit dem Gegenüber teilen, ist einer der schönsten Gründe für unsere »lange Reise durch ein kurzes Leben«. Lassen Sie diese Freude sich immer weiter entfalten, schaffen sie ihr neue Geltungsbereiche.

Teilen Sie sich mit: Sprechen Sie mit dem Kollegen, der noch fremd ist. Sagen Sie Ihrer Partnerin oder Ihrem Partner, was Ihnen gefällt und was nicht. Weihen Sie andere (mehr) in Ihre Geheimnisse ein, und lassen Sie sich entsprechend von anderen ins Vertrauen ziehen. Wann haben Sie zuletzt eine Liebeserklärung gemacht, wann zuletzt eine Sympathiebekundung unter Freunden?

Sicherlich können die zwei Personen im Bild auch zwei Seiten der eigenen Person spiegeln. Also geht es auch darum, sich mit sich zu befassen und sich selbst einmal oder wieder eine Liebeserklärung zu unterbreiten.

Engelrat

Sehen Sie sich selbst ins Auge. Die Dankbarkeit, die Sie sich erweisen, werden Sie auch anderen schenken, wie auch umgekehrt.

Zur Meditation

Ich bin dankbar für unser Dasein.

Der Engel der Dankbarkeit

♥ Liebe

Gute Umgangsformen sind die Voraussetzung für das gute Miteinander. Man muss gönnen, aber auch verlangen können. Aus diesen positiven Energien resultiert die Sympathie bei Liebe und Freundschaft.

♣ Glück

Wer undankbar ist, betrügt sich um eine wesentliche Quelle des Glücks. »Unter den Menschen schafft der Dank die tiefste Gemeinschaft, welche zuletzt stärker ist als alles, was sich zwischen sie schieben kann« (Albert Schweitzer).

↗ Erfolg

Spenden Sie Dank und Anerkennung. Seien Sie ehrlich dabei! Akzeptanz, Lob und Respekt sind Verhaltensweisen, die auch in einer beruflichen oder geschäftlichen Beziehung zu den Grundlagen gehören.

XXXI. Der Engel der Offenbarung
Hilfe bei Trägheit und Faulheit
»Volle Kraft voraus«

Die Reiter der Offenbarung stürmen voran. Die Stunde der Wahrheit, alles wird aufgerüttelt, alle Kräfte sind mobilisiert. Vielleicht ändert sich »nur« Ihr Stil, Ihre Präsenz, die Intensität, mit der Sie leben. Doch genau das macht den entscheidenden Unterschied.

»Ohne Politik der Ekstase keine Politik der Erkenntnis« (Wolfgang Neuss). Ohne Erweckung aller Kräfte erreichen Sie nicht die Höhepunkte, die das Leben für Sie bereithält. Anders gesagt: Die Zeit ist reif für ein neues Niveau. Alte Schwierigkeiten werden nun leicht überwunden.

So oder so ist hier Ihr Mut zur Veränderung gefragt, Ihre Kraft zur Verwandlung. »Die Geburt des Selbst bedeutet für die bewusste Persönlichkeit ... eine vollständig veränderte Lebenseinstellung und Lebensauffassung, also eine ›Wandlung‹ im wahrsten Sinne des Wortes« (Carl Gustav Jung).

Engelrat

Rechnen Sie mit Veränderungen, aber auch mit einem erhöhten Energieeinsatz, der vieles leichter und viel mehr möglich macht, als es den landläufigen Vorstellungen entspricht.

Zur Meditation

Ich verändere mich.

Der Engel der Offenbarung

♥ Liebe

Trägheit, Faulheit und Bequemlichkeit sind keine Impulse der Liebe. Die Liebe und das Leben sind nicht bequem, oder?

♣ Glück

Der Engel der Offenbarung zeigt uns die wahre Größe des Menschen. Diese Erleuchtung bedeutet, sich offen zu bekennen und am Wandel der Zeit teilzuhaben. Das Glück besteht darin, über den eigenen »Tellerrand« hinauszuschauen und den eigenen Anteil an der Welt klarer zu erkennen.

✈ Erfolg

Stellen Sie sich auf neue Anforderungen ein! Bringen Sie Dinge in Bewegung. Veränderungen sind beeinflussbar. Chancen und Möglichkeiten des Handelns werden erweitert.

XXXII. Der Engel des Gottesgerichtes

Hilfe bei Verfolgungen und endlosen Projekten
»Nichts verdrängen – nichts vertagen«

Hier tut sich alles auf: Die »Beziehungskisten«; Probleme, die wir lange mit uns herumtragen; Bereiche, die wir bisher wie ein »Blaubartzimmer« noch nicht berührt haben; das *memento mori* (gedenke, dass du sterben wirst); die Hartnäckigkeit bestimmter Probleme, die wiederkehren, obwohl sie erledigt sein sollten.

Der »jüngste Tag« ist nicht irgendwann am »Sankt-Nimmerleins-Tag«. *Jeder* Tag ist Abschied und Neuanfang. Es sei denn, man schleppt vorwiegend alten Ballast in den neuen Tag hinein. Dann bedeutet der neue Tag nicht Wiedergeburt, sondern Wiederholung. »Dann sieht der neue Tag schon morgens alt aus, denn er ist nicht von heute, sondern von gestern« (Johannes Fiebig).

Sorgen Sie also dafür, immer wieder einen Strich unter Vergangenes zu ziehen. Strecken sie die Hände aus, um sich zu versöhnen und/oder um Abschied zu nehmen.

Engelrat

Der »jüngste Tag« ist *heute*! Schließen Sie heute Frieden mit Gott –mit sich und Ihren Nächsten!

Zur Meditation

Ich will so leben, dass heute mein letzter Tag sein könnte – und mein erster!

Der Engel des Gottesgerichtes

♥ Liebe

Die Liebe bekommt neuen Auftrieb, wenn Sie sich von überholten Ängsten, Vorwürfen und Sehnsüchten trennen. Und sie bekommt Tempo, Kraft und Sinn, wenn Sie sich um unerledigte, unerfüllte Wünsche und Leidenschaften kümmern.

♣ Glück

Machen Sie aus Ihrem Leben insgesamt einen großen Kreis, einen Spannungsbogen, und das Glück wird Sie begleiten.

✈ Erfolg

Nehmen Sie sich Zeit für Klärung, Untersuchung und Auseinandersetzung. Viele Menschen überschätzen, was sie in zwei Wochen, und unterschätzen, was sie in zwei Jahren verändern und erreichen können (nach Werner T. Küstenmacher).

Die Befragung
des Engel-Orakels

Mit der Befragung des Orakels können wir uns intuitiv auf die heilende Energie der Engel einstimmen und eine Kontaktaufnahme mit der himmlischen Welt herbeiführen. Dabei wissen wir, dass der »Himmel« stets auch ein Spiegel unserer irdischen Hoffnungen und Ängste ist. Und dass die »Engel« auch ein Symbol für helfende Kräfte in uns selbst sowie in unseren Mitmenschen sind.

Das Engel-Orakel macht die Begegnung mit der Schönheit und Weisheit, der Kraft und der Liebe der Engel zu einer bewussten täglichen Erfahrung.

Wenn Sie mit dem Engel-Orakel arbeiten, werden Ihnen innere Führung und spirituelle Erkenntnis zuteil. Die Karten helfen Ihnen, sich auf höhere Schwingungen – auf die »Frequenz der Engel« – einzustimmen. So werden Sie mit Ihnen leicht und dauernd in Verbindung stehen. Sie werden die helfenden Hände der Engel spüren.

Die Zukunft kann das Engel-Orakel allerdings nicht vorhersagen. Denn die Zukunft liegt in Ihren eigenen Gedanken und Entscheidungen – und sie liegt bei Gott, der im Himmel sowie unter den Menschen und in jedem von uns wohnt!

Nichts Zukünftiges ist bereits jetzt unwiderruflich festgelegt. Wenn Sie der Inspiration durch die Engel folgen, erheben Sie ihr Bewusstsein und entwickeln sich auf eine höhere Ebene. Damit ziehen Sie automatisch auch Menschen und Situationen an, die einer höheren Schwingungsebene (einer höheren Entwicklungsstufe) angehören.

Wenn Sie sich in eine Meditation versenken und sich dabei auf die spirituellen Ratschläge der Engel, wie sie durch die folgenden Orakel geboten werden, konzentrieren, beginnen Sie sich innerlich zu öffnen. Es ist sicher, dass diese Arbeit, wenn Sie sie kontinuierlich ausführen, Ihnen helfen wird, alte negative Gedankenmuster loszulassen, emotionale Blockaden aufzulösen, und neue Tore zu öffnen.

Das Engel-Orakel bringt Licht in Ihr Bewusstsein, und Licht birgt spirituelles Wissen oder sogar Weisheit.

Und so wird's gemacht

Eine gute Vorbereitung für die Befragung des Engel-Orakels ist es, zu beten oder zu meditieren. Inne halten, zur Ruhe kommen, schweigen – diese Momente sind dabei genauso wichtig, wie im Gebet seine Wünsche und Ängste sich und dem Himmel einzugestehen und wie in der Meditation alle Gedanken fließen zu lassen, auf dass der Kopf leer und das Herz leicht werde.

Beim Meditieren bringen Sie ihre Gedanken zum Schweigen, so dass die Stimme »Gottes« deutlicher zu hören ist.

In diesen Augenblicken der Stille, in denen das ununterbrochene Geplapper unserer Gedanken und das noch lautere Geschwätz unserer Emotionen verstummen, lassen die Engel, jene Boten Gottes, heimlich und leise die schönsten Inspirationen, Botschaften oder beflügelnde neue Ideen in unser Bewusstsein gleiten.

Wenn Sie sich ein bisschen Zeit nehmen, um tief durchzuatmen, sich zu entspannen und Ihre Gedanken zur Ruhe zu bringen, bevor Sie eine Befragung des Orakels beginnen, können und werden Sie viel mehr von den Engeln empfangen, als wenn Sie ohne eine solche Vorbereitung starten.

Öffnen Sie sich und vertrauen sie darauf, dass die Antwort der Engel in der Karte oder in den Karten liegt, die Sie nun ziehen werden. Schließlich haben die Engel Ihnen eingegeben, welche Karte Sie ziehen sollen.

Manchmal passiert es, dass wir die Antwort, die eine Karte uns gibt, nicht sogleich verstehen. Dann ist am besten, sich erneut ruhig hinzusetzen und zu meditieren. Blicken Sie tiefer in sich hinein. Betrachten Sie das gezogene Kartenbild noch einmal. Dann wird Ihnen der Sinn der Botschaft noch klarer werden.

Am besten ist es, zuerst die Befragung des Orakels mit einer oder mit drei Karten zu üben. Danach können auch größere Auslagen gemacht werden!

Eine Karte ziehen

Formulieren Sie in Gedanken Ihre Frage oder sprechen Sie sie laut vor sich hin, während Sie die Karten mischen. Dann ziehen Sie (mit der linken Hand – aber eigentlich ist es gleich, ob sie mit der linken oder der rechten Hand ziehen) eine Karte aus dem Stapel. Manche Leute bevorzugen es jedoch, die Karten fächerförmig auf den Tisch auszubreiten, dann die Hand darüber wandern zu lassen und dann intuitiv eine Karte aus dem Fächer zu ziehen. Wie auch immer, entscheidend ist die innere Einstellung, diese typische Mischung aus Konzentration und Offenheit.

Drei Karten ziehen

Wenn Sie Ihre Frage gestellt haben, ziehen Sie bei dieser Übung wiederum (mit der linken Hand) drei Karten aus dem Kartenstoß oder aus dem auf dem Tisch ausgelegten Kartenfächer. Nehmen Sie die drei Karten, zu denen Sie sich spontan am meisten hin gezogen fühlen.

Die erste dieser drei Karten steht für die unmittelbare Vergangenheit. Das ist die Zeit der Genese, der Entstehung Ihrer heutigen Frage.

Die zweite Karte steht für die Gegenwart, für die aktuelle Situation, und genau hier und jetzt wird die Antwort kommen, die Idee zur Lösung Ihrer Frage geboren.

Die dritte Karte steht für die Zukunftsaussichten, für die nächste Entwicklung und die möglichen nächsten Schritte, die das Engel-Orakel Ihnen vorschlägt.

Decken Sie die Karten jeweils einzeln auf, betrachten Sie das Bild, lesen Sie die Hinweise zur betreffenden Karte.

Wenn Sie alle drei Karten aufgedeckt haben, meditieren Sie über die Antwort des Engel-Orakels.

Betrachten Sie die Entwicklung in den drei Karten. Worin unterscheiden sie sich, was haben sie gemeinsam? Welchen Zusammenhang, welchen Hinweis erkennen Sie darin?

Beschließen Sie die Befragung, indem Sie ein Resümee, einen inneren Vorsatz laut vor sich hin sagen.

Dann beenden Sie die Sitzung mit einer Verbeugung, einem kleinen Lied oder einem tiefen Atemzug und der Wiederholung Ihres Resümees.

Wie lautet die Botschaft?

Die Botschaft und der Ratschlag der Engel liegt in den Karten, die Sie gezogen haben.

Wenn die Antwort Ihnen klar erscheint, dann legen Sie eine oder zwei praktische Konsequenzen fest, und beginnen Sie mit der Umsetzung dieser praktischen Schlussfolgerungen. Erst dann ist die Deutung abgeschlossen. Erst dann ist ein Gebet beendet, wenn man etwas für seine Umsetzung tut!

Sollte die Antwort jedoch zunächst noch unklar sein, so ist es wichtig erneut zu beten, zu meditieren, tief durchzuatmen – vielleicht Yoga zu machen oder spazieren zu gehen, und dann erneut die Karten zu betrachten.

Wenn Sie einige Zeit mit einer oder mit drei Karten Erfahrungen gesammelt haben, kann auch eine der folgenden Auslagen zu Rate gezogen werden.

»Engels Wegweisung«

1 – »Das kennst Du bereits«
2 – »Das kannst Du gut«
3 – »Das ist noch neu«
4 – »Das lernst Du nun dazu«

»Lernaufgaben«

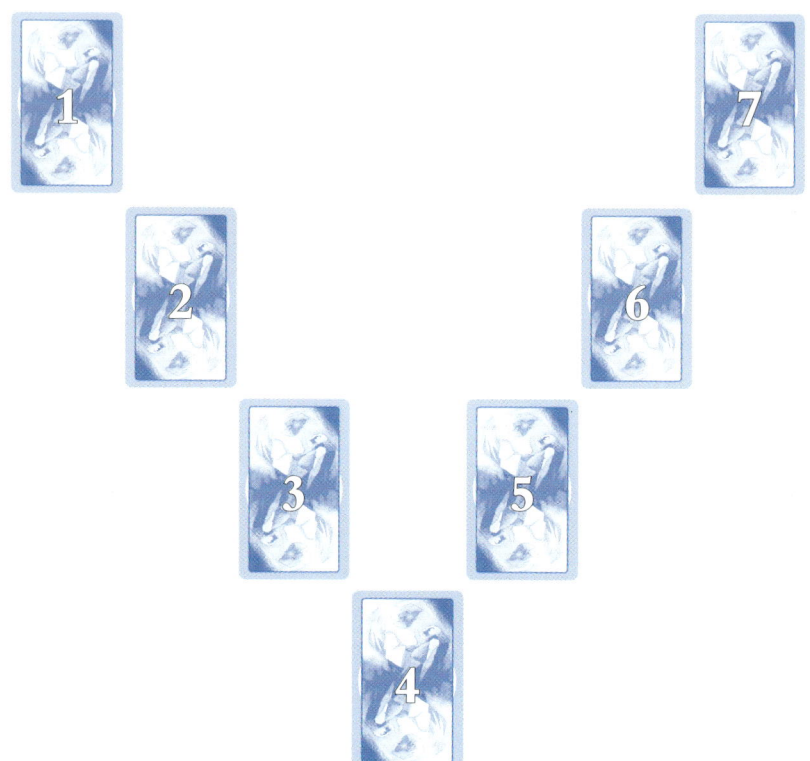

1 – »Was habe ich erfahren?«
2 – »Worauf kann ich mich verlassen?«
3 – »Welche Wünsche machen mich stark?«
4 – »Welchen Ängsten will ich mich stellen?«
5 – »Wo liegen meine Hindernisse?« / »Was passt nicht mehr zu mir?«
6 – »Wo finde ich Unterstützung?«
7 – »Wie kann ich meinen Wünschen Nachdruck verleihen?«

»Engels Ruf«

1 – »Dein Thema, Dein Problem«
2 – »Deine Aufgabe; mein Ruf an Dich«
3 – »So wird es gelingen; Deine Chance«

»Engels Rat«

1 – »Dies lasse los; das ist jetzt nicht wichtig«
2 – »Dies übe fleißig; das hilft Dir weiter«

»Selbstbefragung«

1 – »Wer bin ich?«
2 – »Was brauche ich?«
3 – »Wie bekomme ich es?«

»Das große Engel-Orakel«

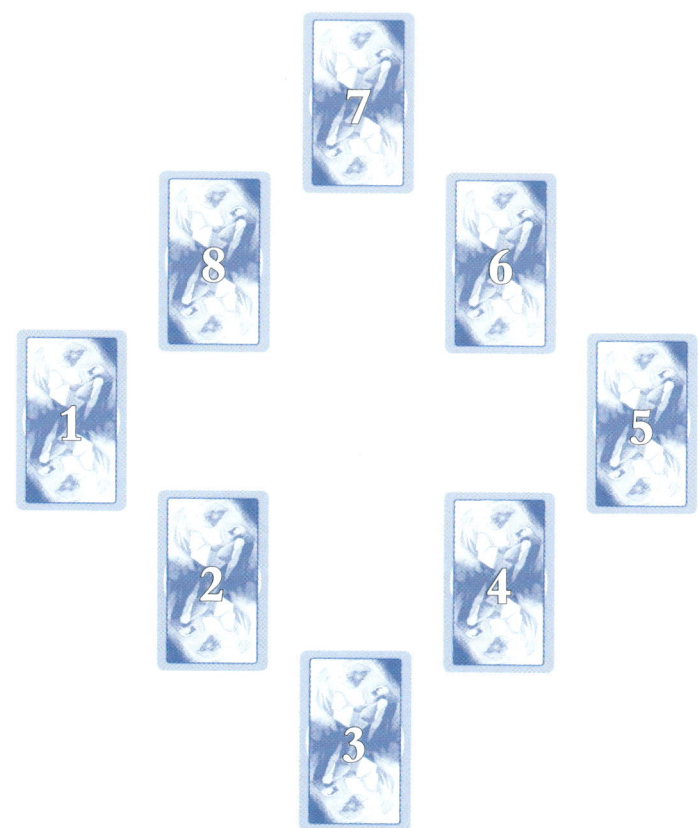

1 – »Dein Ausgangspunkt, Deine himmlische Heimat«
2 – »Deine Begabung, eine besondere Stärke«
3 – »Ein altes Problem für Dich, eine Erblast«
4 – »Deine Schwäche, auch: Wofür Du eine Schwäche hast«
5 – »Ein neuer Anfang, der den Himmel erfreut«
6 – »Neue Talente, die Du erweckst«
7 – »Ein Geschenk des Himmels an Dich«
8 – »Deine aktuelle Aufgabe auf Erden«

Zum Schluss der Auslage

Zum Schluss ist es in jedem Falle wichtig und eine gern geübte Praxis, sich einen Augenblick Zeit zu nehmen, um den Engeln zu danken.

Machen Sie sich noch einmal bewusst, dass Sie mit jedem Mal, bei dem Sie mit einem der Engel-Orakel arbeiten, Ihre Empfindungen, Ihre Schwingungsfrequenz erhöhen und sich das Tor für neue Horizonte, für neue, höhere und schönere Möglichkeiten eröffnen.

Zur Meditation

»Wir machen in unserem Leben Erfahrungen,
begegnen Kräften, die weiter reichen und tiefer wurzeln
als unser Bewusstsein, die unsere Macht und unser
Begreifen übersteigen.
Manchmal können wir diese Kraft-Erfahrungen eher
verstehen als verborgenen innere Möglichkeiten in uns,
manchmal erscheinen sie uns als Anspruch oder
Zuspruch ›von außen‹,
oft wirken sie alltäglich, manchmal unglaublich und
weltbewegend,
oft sind sie hilfreich und weiterführend, manchmal
halten sie uns auf.
In der biblisch-christlichen Tradition hat man solche
Erfahrungen auch Engel genannt, wenn und wo sie
uns auf Gott verweisen,
auf das Ewige Geheimnis und den Guten Grund
allen Lebens.«
(Heinrich Dickerhoff)

Weitere Tipps
und kostenloser Newsletter
im Internet:

www.koenigsfurt.com
www.uraniaverlag.ch

Lenormand - Karten

Die Orakelspielkarten nach Madame Lenormand (1772-1843) sind die wohl bekanntesten und meist gekauften. Die einfache Symbolik auf den zumeist 36 Karten (es gibt auch Varianten mit mehr Karten) ermöglicht einen unkomplizierten Zugang. Eine umfangreiche Einführung in die moderne psychologische Symboldeutung der Lenormand-Karten bietet das Buch von Harald Jösten. Sie finden bei Königsfurt-Urania die zur Zeit größte Auswahl an Lenormand-Karten.

HARALD JÖSTEN: DER NEUE SCHLÜSSEL ZU DEN KARTEN DER MME. LENORMAND

Set (Buch + Cartamundi Karten)
ISBN 978-3-89875-687-7,
Buch separat: ISBN 978-3-89875-688-4

LENORMAND 1890 ORAKELKARTEN
(Lo Scarabeo)
ISBN 978-3-89875-607-5

LENORMAND KARTEN
(Lo Scarabeo)
mit Kartenbildern
ISBN 978-3-89875-727-0

LENORMAND KARTEN
(Königsfurt)
mit Versen:
ISBN 978-3-89875-779-9
mit Kartenbildern:
ISBN 978-3-89875-877-2

LENORMAND WAHRSAGEKARTEN
(Piatnik)
ISBN 978-3-89875-608-2

LENORMAND WAHRSAGE-KARTEN (Cartamundi)
mit Kartenbildern
und Versen
ISBN 978-3-89875-574-0

LENORMAND WAHRSAGE-KARTEN (ASS)
mit Kartenbildern:
ISBN 978-3-89875-622-8
mit Versen:
ISBN 978-3-89875-623-5

Lenormand – der neue Ansatz

In der Traumdeutung stehen *Vögel* für die Liebe, Weisheit, Freiheit, Überblick (»Vogelperspektive«) u.v.m.; sie warnen aber auch vor Abgehobenheit, falschem Idealismus und Wunschdenken. Harald Jösten ist es gelungen, diese wichtigen und spannenden Doppeldeutungen für die Bildsymbole jeder Lenormand-Karte herauszuarbeiten. Damit wird eine neue, vielversprechende Dimension im Umgang mit den Lenormand-Karten eröffnet, die zugleich einen einfachen Einstieg in die kreative Deutung von Alltagssymbolen ermöglicht.

Orakelspiele von Königsfurt-Urania
Neue Sicht auf alte Orakel

Der Dalai Lama befragt vor wichtigen Entscheidungen seine Orakel. Viele Menschen in aller Welt halten es ebenso. Orakel sind heute Spiegel und Inspiration, Spiel und Wegweisung. Es kommt nur darauf an, ein Orakelspiel zu verwenden, zu dem man selbst eine Berührung, einen Zugang verspürt. Und darauf, sich von abergläubischen Deutungen zu trennen.

Die psychologische Symboldeutung nutzt Orakelkarten als inspirierende Kristallisationspunkte. Hier geht es um neue Möglichkeiten und eine größere Verantwortung für das eigene Handeln – kurz, um einen bewussten Umgang mit dem eigenen Wollen und Leben. So gesehen, sind die scheinbar so alten Orakelkarten auch sehr modern. Viele Elemente der Tradition sind für die Gegenwart durchaus nützlich. Die Zukunft gestalten (nicht vorhersagen!) heißt, aus der Vergangenheit lernen und die Gegenwart bewusst erleben!

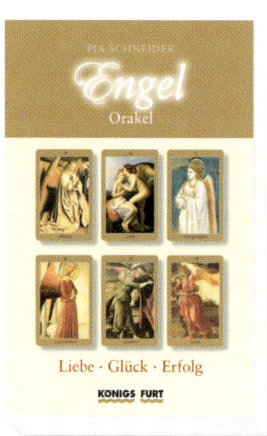

PIA SCHNEIDER
ENGEL ORAKEL – LIEBE, GLÜCK, ERFOLG
Set mit Buch und 32 Engel-Karten
ISBN 978-3-89875-832-1
Buch separat: ISBN 978-3-89875-833-8

RICHARD WITTHÜSER
EIN ENGEL FÜR DICH
32 Inspirationskarten mit Bild und Text
ISBN 978-3-89875-723-2
Himmlische Streicheleinheiten für gestresste Seelen!
Auch mit Buch im Set,
ISBN 978-3-89875-858-1

CHOR DER ENGEL
80 Inspirationskarten
mit dt. Anl.
ISBN 978-3-89875-538-2

**SIBYLLE DER ENGEL /
ENGEL-ORAKEL**
32 Orakelspielkarten
mit dt. Anl.
ISBN 978-3-89875-637-2

**IKONEN ENGEL /
KARMA ANGELS**
32 Orakelspielkarten
mit dt. Anl.
ISBN 978-3-89875-602-0

CHOR DER HEILIGEN
78 Inspirationskarten
mit dt. Anl.
ISBN 978-3-89875-636-5